Les couleurs de la France

Jean Philippe Lenclos
Dominique Lenclos

Les couleurs de la France

Géographie de la couleur

Préface de Georges Henri Rivière

LE MONITEUR
17, rue d'Uzès – 75002 Paris

ISBN 2-281-**15111**-5

Préface

Le gris du calcaire et des pans de bois, le torchis beige, le bleu de l'ardoise, le rouge patiné des pannes flamandes et des briques, tels que je les percevais avec délice au début de ce siècle, composaient la palette du village maternel, Le Frestoy-Vaux, aux confins du plateau picard.

Plus d'un demi-siècle plus tard, responsable d'une enquête d'architecture rurale à travers les pays de France, dépouillant maints livres d'ethnohistoire pour mieux tester les travaux des jeunes architectes, mes collaborateurs, j'en appris plus long sur le village maternel, tel qu'il se présentait un siècle plus tôt : pas d'ardoise, ni de brique, ni de tuile, signes d'une prospérité acquise entre-temps ; mais, couronnant le solin, le torchis, le pan de bois, des toits de chaume.

Autant de maisons, au demeurant, ressemblant comme des sœurs à celles que peignirent Albrecht Dürer et Bruegel l'Ancien. Et je me disais, tentant de tirer un bilan de quelque 1 500 monographies du chantier 1425 : nos maisons rurales échappent-elles, à quelques franges près de trois de nos points cardinaux de l'hexagone, à un vrai dictionnaire de couleurs, ne sont-elles que délicates nuances, subtiles irisations, filles de la terre et de la forêt, mimétismes écologiques ?

Un beau jour de décembre 1979, un cousin et autre chose qu'un cousin, mon frère en esprit, Jean-François L. dit Dhuys me parle d'une personne que j'aurais plaisir à rencontrer, Jean Philippe Lenclos, expert reconnu en matière de couleurs, de nature et de chimie, lequel, depuis une décennie, dans l'intervalle des lourdes tâches de son métier, mène, me révèle Jean-François, une œuvre qui le passionne et le fascine, recoupant à certains égards mon expérience d'ethnologue.

La connaissance se fait bien vite en un lieu et se consolide en un autre lieu du Marais, quartier prédestiné de l'Horloge et alentour. Les échanges de vues se précipitent. On a tant à se dire qu'on ne sait quoi se dire. J'en reçois plus que je n'en donne. Les fiches, les photographies, les relevés chromatiques s'accumulent sur la table. Et c'est peu à peu, mais un peu à peu à cadence forcenée, que j'entrevois, découvre, dévore l'œuvre annoncée, à travers les trois étapes de son déroulement.

Pour commencer, la position d'un problème inédit, celui de la couleur et de l'habitat sous quatre facettes : le phénomène couleur, la palette générale, la palette ponctuelle de l'habitat, les rapports entre couleur et peinture.

En second, l'analyse de site, sous ces autres facettes que sont l'impermanence des couleurs, les phases d'une méthodologie, une étude de nos couleurs régionales, une application de la méthode à l'étranger.

Une claire, logique, féconde machine à penser, en somme, dont le merveilleux est qu'elle apporte une clef, une clef des couleurs, non seulement des architectures des régions de France, mais des pays du monde. A telle enseigne que lorsque notre auteur se rend au Japon, en Italie, en Iran, au Brésil, les groupes d'urbanistes et de ruralistes qu'il y rencontre, lui disent de cette clef, de cette clef internationale, qu'elle confirme leurs préfigurations et éclaire les voies de leurs recherches futures.

Quant à moi, comptant les derniers ormes des chemins de ma vie, je me dis à mon tour, découvrant cette clef, que mon expérience des jours d'autrefois n'eût pas été la même, qu'elle aurait été plus riche, que j'en mesure à présent le prix avec mélancolie, sans pouvoir m'en servir. Merci à vous, quand même, cher Jean Philippe.

Georges Henri Rivière

Georges Henri Rivière
Conservateur en chef honoraire
du musée des Arts et Traditions populaires,
premier directeur, conseiller permanent
du Conseil international des musées

Remerciements

Que soient ici remerciés tous ceux
qui nous ont aidés à mener à son terme
cette longue étude.
En premier lieu, et très vivement,
Jean-Pierre Walser, président-directeur
général de la société IPA Peintures
Gauthier. Par sa clairvoyance,
son enthousiasme, ses encouragements
et le soutien matériel qu'il nous a procuré,
il nous a permis d'accomplir les premières
investigations qui furent publiées
dans la revue Maison française dès 1975
et constituent la base de ce livre.
Tous les membres de l'Atelier 3D Couleur
et les amis qui participèrent activement
à ces travaux: Philippe Ballatour, Daniel
Clochey, Serge Collomb, Françoise
Desvignes, Dominique Doan, Catherine
Dreux, Martine Duris, Jean-François
Gaudineau, Romain Gaulin, Vonnik
Hertig, Thierry Kressmann, Emmanuel
Lenclos, Roselyne Le Ménédeu,
Jean Lerouet, Katia Mage,
Elisabeth Maupin, Sylvie Niel.
Peter Keller qui, par son extrême
compétence et son admirable rigueur
professionnelle, a permis que soient
menées à bien la mise en page
et la typographie.
Marie Rochut Kowalewski pour
les illustrations des maisons régionales
dont elle a permis ici la reproduction.
André et Henriette Gomes qui nous ont
donné la possibilité de reproduire
le tableau de Balthus, *La Cour de ferme
à Chassy en hiver.*
Mes amis Tom Porter et Byron Mikellides.
Que soient également remerciés
tous les habitants connus et inconnus,
les architectes et les artisans
à qui reviennent la réussite
et la beauté des couleurs de l'habitat
et qui participent ainsi à la qualité
du paysage.

Table des matières

1

1 Balthus, *La Cour de ferme à Chassy en hiver*, 1954, huile 75 × 92 cm.

Il y a vingt ans environ, au cours d'un repas chez des amis, le mur qui était en face de moi accueillait une toile de Balthus : *La Cour de ferme à Chassy en hiver*. Ce paysage m'impressionna par sa lumière et l'étrange qualité de sa coloration, la délicatesse de ses verts et leur échelle de valeur. Il est demeuré inscrit dans ma mémoire et, aujourd'hui encore, j'en garde un souvenir d'émerveillement et de mystère.

Avant-propos

le paysage et les objets quotidiens qui nous entourent sont peuplés de réalités tangibles et concrètes, mais aussi d'une vie mystérieuse, parfois secrète, dont les merveilles peuvent rester éternellement cachées à nos yeux.

Il arrive cependant que le silence devienne musique et que l'obscurité se métamorphose en lumière. Ce sont alors des signes qui transforment le regard et même s'ils ne se révèlent jamais complètement, ils s'illuminent du désir de les faire renaître. Moments privilégiés et rares de la découverte, où l'expérience profane rejoint l'expérience sacrée.

Vivante et spirituelle, la couleur est le centre de cet ouvrage dont les illustrations parlent d'elles-mêmes. Avant de tourner les pages, j'aimerais préciser les deux sources auxquelles puisent inlassablement ma découverte et mon apprentissage : la nature et l'œuvre des peintres.

Inépuisable, la nature est le reflet d'une relation entre la permanence et l'éphémère, mouvement perpétuel et réciproque de l'un à l'autre. Cette interaction est l'une des dimensions poétiques essentielles du paysage où la couleur et sa magie sont continuellement présentes.

Il y a vingt cinq ans environ, au cours d'un repas chez des amis, le mur qui était en face de moi accueillait une toile de Balthus : "La cour de ferme à Chassy en hiver" Ce paysage m'impressionna par sa lumière et l'étrange qualité de sa coloration, la délicatesse de ses verts et leur échelle de clarté. Il est demeuré inscrit dans ma mémoire et aujourd'hui encore, j'en garde un souvenir d'émerveillement et de mystère.

Un jour, à la Villa Médicis, Balthus m'a confié : "Dans la peinture, presque tout se joue entre les chauds et les froids" J'ai écouté la leçon, mais il me faut sans cesse la comprendre et continuer d'apprendre.

Jean Ph. Lenclos

Introduction

L'une des richesses de l'habitat traditionnel français réside dans sa diversité régionale. Par leur situation géographique, les provinces de France présentent des types d'architecture caractéristiques dont la variété est due à une adaptation particulière aux contraintes que représentent le milieu naturel, les conditions climatiques et les matériaux de construction locaux.
Il apparaît qu'un des facteurs essentiels de la diversité régionale est une tradition populaire très ancienne, « traduction directe et non consciente d'une culture sous la forme matérielle, de ses besoins, de ses valeurs, aussi bien que des désirs, rêves et passions d'un peuple » (1).
En tant qu'élément constitutif des composants de l'architecture, la couleur de ces différents types d'habitat est également le fruit de l'interaction étroite de l'utilisation des matériaux trouvés sur place et de l'application de certaines couleurs dictée par les traditions locales. C'est ce que nous appelons « la géographie de la couleur ».
Si, par exemple, on compare l'habitat du Nord de la France, où prédominent les couleurs chaudes de la tuile et de la brique, avec celui du Finistère, où l'utilisation du granit, de l'ardoise et du lait de chaux donne lieu à une harmonie de gris et de blancs, on pourra constater que, en dehors de toute considération de forme et de volume, ces types d'architecture se distinguent par une dominante chromatique qui leur est propre.
En effet, l'architecture ancienne, dont les matériaux de base – pierre ou terre – traduisent le plus souvent les couleurs minérales de la nature environnante, présente dans chaque région de France un visage chromatique qui lui est spécifique. Au même titre que l'échelle et la proportion des volumes, la couleur de la construction participe intrinsèquement à la qualité du paysage. Et, sur ce plan, l'architecture traditionnelle dispense un enseignement unique de qualité visuelle, d'harmonie et de simplicité.
Cependant les qualités chromatiques d'un habitat rural ou d'un groupe de maisons sont sans cesse menacées par la maladresse de transformations intempestives. Car les constructions nouvelles qui, progressivement, viennent s'ajouter tiennent rarement compte du milieu dans lequel elles s'inscrivent. C'est ainsi que, d'année en année, les paysages se détériorent, minés par une véritable pollution visuelle.

2

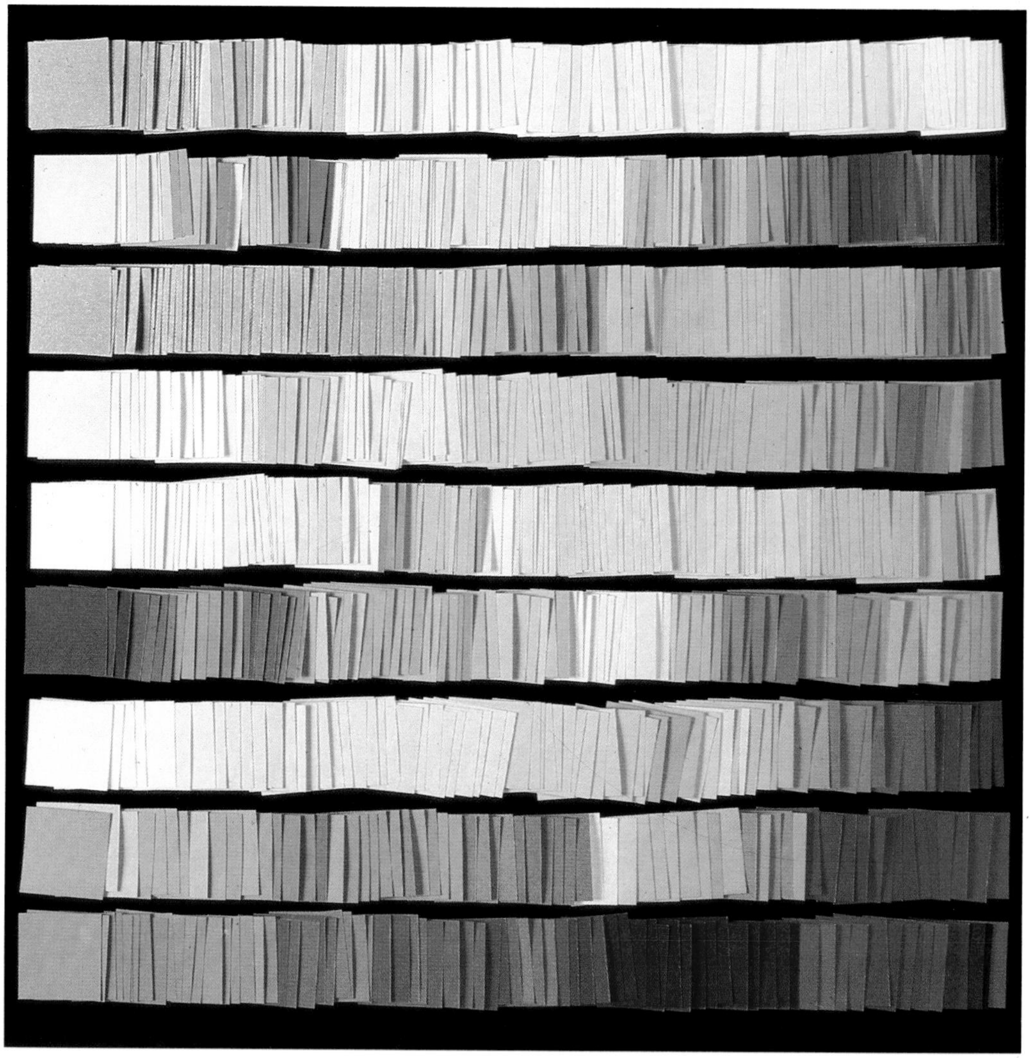

La « fin du paysage » (2) est sans doute la conséquence de facteurs économiques, sociaux et culturels ; mais elle est due aussi au nombre sans cesse croissant de matériaux de synthèse nouveaux et très divers, mis à la disposition de tous pour construire ou réhabiliter. Ces matériaux qui présentent des qualités techniques et visuelles (texture et couleur) sont source d'économies non négligeables. Ils sont inévitablement amenés à se développer et, par conséquent, posent le problème d'un choix cohérent. Mais la standardisation exagérée de certains d'entre eux risque de provoquer l'uniformité du caractère architectural. A moins que le développement de leurs possibilités de pigmentation soit mis au service d'une meilleure expression chromatique de l'architecture dans son environnement.

Face à ce problème complexe – assurer la protection du paysage avec l'apport de techniques et de matériaux nouveaux –, nous avons mis au point une méthode fondée sur l'observation objective des phénomènes de la couleur dans un site donné et applicable à n'importe quel type d'architecture.
Cette analyse ne vise pas à donner au bâtisseur, professionnel ou non, les moyens de copier stérilement le passé, mais elle lui permet peut-être d'aborder la création de paysages nouveaux avec une sensibilisation plus grande au problème de la qualité chromatique de l'architecture.

(1) Amos Rapoport, *Pour une anthropologie de la maison*, Paris, Dunod, 1972.

(2) Maurice Bardet et Bernard Charbonneau, *La Fin du paysage*, Paris, Anthropos, 1972 (préfaces de Bernard Charbonneau).

2 Cette planche d'échantillons représente la synthèse générale des couleurs de façades répertoriées dans les différentes régions de France. La classification par familles chromatiques permet d'apprécier les rapports quantitatifs des couleurs entre elles. Cet inventaire met en évidence la déclinaison de tonalités ocrées à base d'oxydes et de terres, la gamme des gris colorés et des tons sables et toutes les nuances de la pierre calcaire et des enduits à base de chaux.
On remarque que les couleurs froides sont en nombre très restreint.

Couleur et habitat

Le phénomène couleur

La place de la couleur dans le paysage

La vision des couleurs :
- l'œil
- les qualités de la couleur
- couleur et lumière
- couleur et matière
- classement des couleurs

Réalité de la couleur et effet coloré :
- la lumière incidente
- l'environnement
- couleur et texture
- le pouvoir des couleurs
- le choix sur échantillon
- l'enseignement de la nature

L'habitat traditionnel
Palette générale

La couleur des matériaux de construction

Les matériaux végétaux :
- le bois
- le chaume

Les matériaux minéraux :
- la terre et le sable
  matériaux à l'état brut
  matériaux manufacturés :
  le pisé, le torchis,
  la tuile, la brique
- la pierre
  matériaux à l'état brut
  matériaux maçonnés :
  maçonnerie apparente,
  maçonnerie enduite,
  maçonnerie composite

Palette ponctuelle

Les matériaux de construction des éléments de détail :
- seuils et appuis de fenêtres
- chaînes
- linteaux
- souches de cheminées
- soubassements
- portes, fenêtres et volets

Couleur et peinture

La couleur dans l'architecture :
- expression de l'affectivité de chacun
- reflet d'un code social
- rôle symbolique

Les pigments :
- métalliques
- organiques
- minéraux

Le phénomène couleur

Avant de chercher à définir quelles sont les composantes chromatiques de l'habitat traditionnel, il semble important de situer la couleur dans l'appréhension d'un ensemble architectural, puis de rappeler brièvement en quoi consiste le mécanisme de la perception des couleurs.

La place de la couleur dans le paysage
Les éléments qui composent le paysage, qu'ils soient vus sous une lumière naturelle ou artificielle, se traduisent par des taches colorées, mais la couleur, à l'état pur, n'a pas d'existence propre. Elle est étroitement liée à un volume ou une surface déterminés, et il est possible d'affirmer qu'il existe une entité volume-couleur au même titre que l'entité volume-lumière.
Dans un ensemble architectural, la couleur est également tributaire d'éléments essentiels de l'architecture, tels que proportions, rythmes et modénature. La couleur s'y intègre en fonction de deux données qui la caractérisent et qui sont complémentaires l'une de l'autre : la clarté (ou la valeur) et la tonalité.
Chaque couleur est en corrélation avec son environnement. Elle établit avec lui des rapports chromatiques et des résonances qui seront précisés ultérieurement.
Dès à présent, il convient de souligner l'importance de la relativité des couleurs dans le domaine de l'architecture.
La couleur d'une construction est, en effet, relative à la couleur de son environnement architectural et de son environnement rural : milieu minéral, aquatique ou végétal...

3

3 Dans sa vision globale, ce paysage de Ménerbes (Vaucluse) présente les données essentielles des composants du phénomène couleur. C'est, avant tout, la lumière qui crée la couleur et celle-ci se modifie en fonction de la position du soleil.
Lumière et végétation sont les « éléments impermanents ». Les matériaux de construction et le sol constituent les composants les plus stables de cette palette, ceux que, dans cette étude, nous appelons « éléments permanents ».
Les couleurs permanentes et les couleurs impermanentes sont les éléments chromatiques du paysage, dont la qualité visuelle s'exprime par la composition et l'organisation spatiale des couleurs : rapports des tonalités entre elles, contrastes et rythmes.
Dans cet exemple, la trame linéaire des rangées de vignobles donne une dimension structurelle à la couleur.

La couleur de l'architecture est donc un phénomène ayant une réalité propre de par la nature des matériaux employés pour la construction, mais elle doit être considérée comme liée aux éléments du paysage global dont elle est partie intégrante.

La vision des couleurs

Après avoir situé la couleur dans le paysage, il semble difficile d'en aborder plus précisément l'étude dans l'habitat sans avoir explicité au préalable le mécanisme de la vision chromatique.

Le *Petit Larousse* donne de la couleur la définition suivante : « impression que fait sur l'œil la lumière diffusée par les corps ». Quant au *Petit Robert*, il définit « une couleur » comme étant le « caractère d'une lumière, de la surface d'un objet (indépendamment de sa forme), selon l'impression visuelle particulière qu'elles produisent » et « la couleur » comme étant « la propriété que l'on attribue à la lumière, aux objets de produire une telle impression ».

L'œil

Il ressort de ces définitions que la couleur est une sensation physiologique. Et, comme le souligne Maurice Déribéré, dans son livre *La Couleur dans les activités humaines* (1), la couleur « n'a donc de sens réel qu'en liaison avec notre œil qui en permet, en assure la perception ».

En ouvrant les yeux après les avoir fermés un instant, on vérifie aisément que l'œil est le moyen primordial par lequel on perçoit l'espace et, en particulier, la couleur de ses éléments.

Cependant, l'œil n'est pas à lui tout seul l'instrument ou l'organe de la vision : par l'intermédiaire de la rétine, il reçoit les images communiquées par le monde extérieur, lesquelles sont ensuite transmises au cerveau par des conducteurs nerveux (les nerfs optiques qui rattachent la rétine au cerveau). Arrivées au cerveau, les images sont superposées ou fusionnées et interprétées. De ces opérations résulte le phénomène de la vision.

Il convient ici de s'attarder sur le fonctionnement de la rétine qui constitue l'appareil de perception des images visuelles. La rétine est une membrane nerveuse qui double tout le fond de l'œil. Elle contient plusieurs couches de cellules et de fibres superposées ; la plus importante est formée de cellules en forme de bâtonnets et de cônes sur lesquelles se peignent les impressions

(1) Maurice Déribéré, *La Couleur dans les activités humaines*, Paris, Dunod, 1968.

4

5

4 La couleur contribue à la qualité d'un paysage architectural, dans la mesure où elle s'exprime avec cohérence et harmonie. Cette cohérence peut être la conséquence de l'emploi judicieux des matériaux appropriés, ou le résultat du choix délibéré de l'architecte, du coloriste ou de l'habitant. Les matériaux ne sont pas les seuls facteurs intervenant dans l'aspect chromatique d'un site. En effet, la qualité des espaces, l'échelle des volumes et les rapports de proportions déterminent une rythmique visuelle dont la ville de Thuir, dans les Pyrénées-Orientales, est un exemple significatif.

5 Dans la perception globale d'un paysage, avant même qu'intervienne la notion de tonalité, la qualité des proportions et la rythmique architecturale sont à la base d'une synthèse primaire de coloration, que met en valeur le contraste clair-obscur (noir et blanc) sous les effets de la lumière, ainsi qu'en témoigne cette prise de vue à Uzerche, en Corrèze.

6

visuelles. Cônes et bâtonnets sont des récepteurs hypersensibles qui assument des rôles bien définis et complémentaires. Les bâtonnets sont sensibles aux faibles éclairages et sont l'organe de la vision en noir et blanc : les objets perçus varient dans une gamme de gris allant du blanc au noir, comme sur une photo en noir et blanc. Les cônes, eux, assurent la perception visuelle en lumière vive et comprennent trois ensembles de pigments.
Mais par quel processus nos yeux voient-ils les couleurs ? C'est la question à laquelle répond Edwin H. Land dans « La théorie rétinex de la vision des couleurs » (1). Pour Land, les couleurs séparées du spectre de Newton ne sont pas, comme on le pense communément, les couleurs du monde que nous voyons, car « la couleur perçue est complètement indépendante du flux d'énergie qui pénètre dans l'œil » ; en effet, quelles que soient les conditions d'éclairement, l'œil voit le monde qui l'entoure avec des couleurs stables. En revanche, c'est la réflexion des objets, liée à la sensation de clarté, qui joue un rôle primordial.
Appuyant sa théorie sur un certain nombre d'expériences, Land explique ainsi le processus de formation des images colorées : « L'œil crée trois images noir et blanc, de clartés variables, dans les trois systèmes de cônes et les compare pour engendrer la couleur. » Donc « à chaque triplet de clartés correspond une couleur unique spécifique ».

(1) Edwin H. Land, « La théorie rétinex de la vision des couleurs », *Pour la science*, février 1978 (édition française de *Scientific American*).

Les qualités de la couleur
« Nos sensations sont purement passives, au lieu que toutes nos perceptions ou idées naissent d'un principe actif qui juge. » (Rousseau.)
Le système cérébral ayant interprété les images reçues par la rétine, la sensation de couleur peut être définie par trois caractéristiques : la tonalité, la luminosité et la saturation.
La *tonalité*, encore appelée ton ou teinte, correspond au nom de la couleur ; elle se traduit dans le langage courant par les adjectifs jaune, bleu, rouge... Lorsque l'on observe un verger, on dit qu'il est vert, alors qu'en réalité l'herbe, le feuillage des pommiers ou celui des peupliers sont d'un vert différent. On indique donc la tonalité dominante.
La deuxième caractéristique est la *luminosité* d'une couleur ou sa *valeur* lumineuse, que l'on peut évaluer facilement en comparant la couleur considérée avec un gris moyen. Par ce procédé, on constate que les couleurs ont des clartés et des degrés de luminosité différents. Au cours de l'analyse d'un site, on répertorie le degré de clarté de la surface étudiée, à l'aide d'une échelle de valeurs composée de dix degrés déclinés entre le noir et le blanc (voir « Méthodologie »).
La couleur est pourvue d'un troisième attribut : la « qualité » (Johannes Itten) qui est le degré de *saturation* ou de pureté. Une couleur pure peut être rompue à l'aide de blanc, de noir, de gris ou de n'importe quelle couleur. Il en résulte un éventail d'innombrables variantes que l'on appelle camaïeu.

Couleur et lumière
Si l'œil s'avère être un instrument indispensable à l'homme pour la vision des couleurs, la lumière, « agent physique capable d'impressionner l'œil, de rendre les choses visibles *(Petit Robert)*, est par conséquent la seule source des couleurs.
Trois siècles après l'expérience de Newton, il est toujours fascinant de décomposer un faisceau de lumière blanche à l'aide d'un prisme triangulaire, pour obtenir sur un écran l'image du spectre qui comprend les couleurs de l'arc-en-ciel, arbitrairement fixées au nombre de sept : rouge, orange, jaune, vert, bleu, indigo, violet. Un procédé plus récent, appelé réseau de diffraction, permet de réaliser facilement cette expérience. Il s'agit d'une plaque de verre dont la surface est gravée de sillons parallèles, à raison de plusieurs dizaines au millimètre, en fonction de la finesse de diffraction souhaitée.

6 Les *tonalités* qui composent cette habitation sont le rouge du soubassement, le jaune du mur et le bleu des menuiseries.

7

7 Cette façade classique se décline dans une dominante d'ocres jaunes clairs et foncés dont l'ensemble constitue un camaïeu.

8

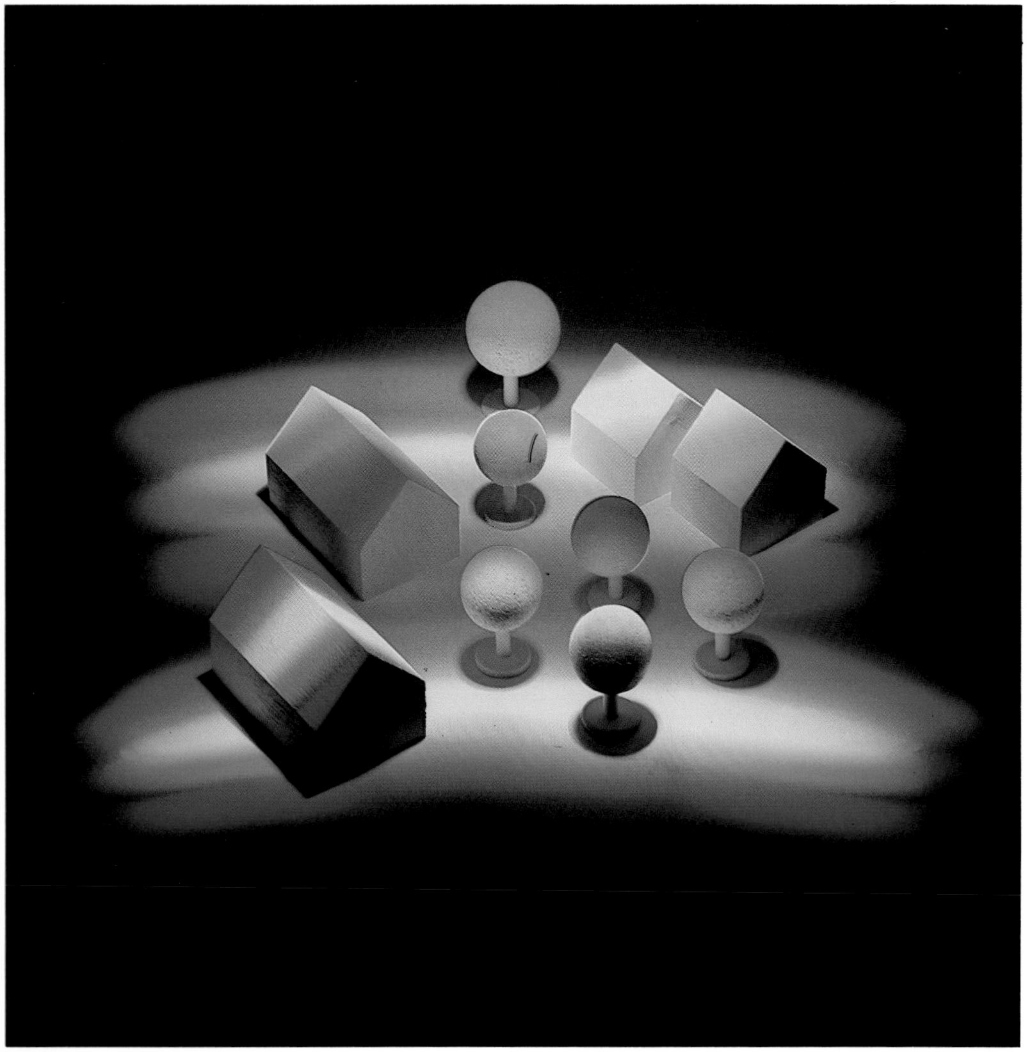

La lumière étant constituée par des ondes électromagnétiques, chaque couleur est définie par une certaine longueur d'onde. La longueur d'onde du jaune, par exemple, varie entre 550 et 580 millimicrons, celle du bleu, entre 460 et 480 millimicrons, l'échelle de perception de l'œil humain étant de 400 à 700 millimicrons.
D'après le professeur Jacques Fillacier (1), inventeur du Polyton, l'œil peut discerner environ 360 tonalités différentes, 100 clartés et 20 degrés de saturation. Ces chiffres permettent de supposer que l'œil exercé peut pratiquement distinguer 600 000 tons. Il faut préciser que la structure de l'échantillon coloré est un facteur de différenciation supplémentaire. Le Polyton est un instrument synthétiseur qui permet d'obtenir 220 000 perceptions par mélange optique des tonalités appliquées sur des disques tournant à grande vitesse.
Cependant la dyschromatopsie, ou difficulté à distinguer correctement les couleurs, est plus courante qu'on ne le croit généralement ; ainsi, chez l'homme, le taux de daltonisme est d'environ 5 %, la proportion est semblable pour l'anomalie de Balfour ; chez la femme, la fréquence de telles anomalies est dix fois moindre. Dans l'espèce animale, certains insectes (criquets, sauterelles, etc.) ne voient qu'un nombre restreint de couleurs. Chez les mammifères, la plupart d'entre eux (et le taureau en particulier) sont indifférents aux couleurs, car leur vision est pratiquement monochromatique.

Couleur et matière

« On se demande pourquoi le monde apparaît sous l'étrange décor artistique que nous lui voyons, pourquoi la neige est blanche, pourquoi les feuilles des arbres sont vertes, pourquoi le verre est transparent, pourquoi le sulfure de zinc est fluorescent.
« C'est qu'en fait la matière adopte une attitude étonnamment complexe vis-à-vis des ondes électromagnétiques et en particulier des ondes lumineuses, les absorbant ou les réfléchissant en totalité ou en partie, les renvoyant à nous sous une fréquence différente, nous donnant finalement le spectacle enchanteur de ce monde qui nous est familier, où les impressions visuelles se présentent de façon si variée. »
Ce texte d'Albert Ducrocq (2) pose le problème des pigments. En effet, les ondes lumineuses étant incolores, ce que l'on voit, c'est la lumière réfléchie sur les objets. Un corps paraît rouge parce que, en fonction de sa composition moléculaire, il absorbe tout le rayonnement lumineux à l'exception du rouge qu'il réfléchit ; il nous paraît blanc lorsqu'il diffuse toutes les radiations qu'il reçoit, et noir lorsqu'il les absorbe intégralement.

Classement des couleurs

Le peintre qui effectue des mélanges de pigments colorés s'appuie sur trois couleurs absolument pures : le rouge, le bleu et le jaune, qu'on appelle les *couleurs primaires*, car elles permettent d'obtenir par mélange toutes les autres couleurs. Le vert, le violet et l'orange, issus du mélange des couleurs primaires deux par deux, sont dits *couleurs secondaires*. Quant aux *couleurs tertiaires*, elles peuvent être obtenues par le mélange, deux par deux, des couleurs secondaires (orange + vert = ocre) ; dans son cercle chromatique, Johannes Itten les obtient, lui, par le mélange d'une couleur secondaire avec l'une des couleurs primaires dont elle est issue (orange + jaune = jaune orangé ; orange + rouge = rouge orangé...).
Le cercle chromatique, élaboré par Eugène Chevreul dès le début du XIXe siècle, est un outil très utile pour celui qui pratique l'usage de la couleur, car il représente une classification équidistante des couleurs lui permettant de construire ses œuvres sur des principes objectifs, compréhensibles d'une façon logique, et d'introduire ainsi en elles

(1) Jacques Fillacier, *Couleur, lumière, matière*, Paris, 1981.

(2) Albert Ducrocq, « Les électrons et le courant électrique », cité par Maurice Déribéré dans *La Couleur dans les activités humaines*, Paris, Dunod, 1968.

8 Les couleurs du spectre, projetées sur ces objets par l'intermédiaire d'un réseau de diffraction, sont des couleurs saturées.

9

10

plus d'ordre et plus de vérité » (J. Itten) (1). Celui d'Itten comprend douze couleurs disposées à intervalles réguliers dans le même ordre que l'arc-en-ciel ; les *couleurs complémentaires* se font face – ce sont les couleurs dont le mélange donne du gris, ainsi le bleu se trouve en face de l'orange, le vert du rouge, le jaune du violet...
Quant au noir, au blanc et au gris, ce sont des *couleurs neutres*. Il existe en outre une gamme infinie de *gris colorés*, obtenus par le mélange de plusieurs couleurs entre elles ou de deux tonalités complémentaires. Chez les peintres pointillistes tels que Georges Seurat ou Paul Signac, c'est la juxtaposition de touches de couleurs pures qui produit, par phénomène optique, l'impression de gris.

Réalité de la couleur et effet coloré
La couleur d'un objet dépend donc essentiellement de sa nature et de la lumière qui l'éclaire, mais toutes sortes d'influences peuvent venir modifier son aspect. Cependant ce phénomène est d'ordre physiologique ou psychologique. c'est-à-dire que la réalité de la couleur ne change pas, ce qui change, c'est l'impression qu'on a en la regardant.

(1) Johannes Itten, *Art de la couleur*, Paris, Dessain et Tolra, 1973.

La lumière incidente
La lumière éclairant l'objet dont on considère la couleur peut être de nature très différente : solaire, fluorescente ou incandescente. Et son action est de la plus grande importance sur l'effet coloré : un mur de pierres calcaires que nous voyons blanc à la lumière du jour nous semble de couleur ocrée à la lumière électrique, bien que la réalité de sa couleur, c'est-à-dire son pigment, reste constante.
Nous soulignerons à ce sujet l'importance d'un éclairage urbain de qualité, notamment pour la mise en valeur nocturne des monuments.
La lumière solaire elle-même, qu'on appelle lumière blanche, change de couleur tout au long du jour en fonction des variations importantes de sa composition spectrale : elle est bleue à midi à cause de la forte proportion de bleu, et elle est plus rouge le matin et le soir à cause de la diffusion des ondes bleues à travers les couches de l'atmosphère, plus ou moins chargées de gaz et de poussières. Elle est également plus rouge en hiver qu'en été.
Les peintres impressionnistes en particulier se sont attachés à rendre sur leurs toiles les variations de la lumière solaire sur un objet aux différentes heures de la journée. C'est pour prouver qu'un même sujet est constamment transformé par la diversité de l'éclairage que Claude Monet entreprit la série des *Meules de foin*, puis, quelques années plus tard, à partir de 1893, la quarantaine de toiles peintes d'après le portail de *La Cathédrale de Rouen*. L'objectif de Monet était de prouver que les variations des jeux de lumière arrivent à métamorphoser l'architecture même d'un monument et à faire surgir des visions sans réalité. En peignant « sur le motif », « l'impressionniste voit et rend la nature telle qu'elle est, c'est-à-dire uniquement en vibrations colorées. Ni dessin, ni lumière, ni modèle, ni perspective, ni clair-obscur, ces classifications enfantines. Tout cela se résout en réalité en vibrations colorées et doit être obtenu sur la toile uniquement en vibrations colorées », écrit en 1903 Jules Laforgue dans les *Mélanges posthumes*, résumant ainsi la vision et la technique impressionnistes.
La lumière *incandescente* et la lumière *fluorescente* sont caractérisées par des longueurs d'ondes très différentes de celles que crée la lumière naturelle. La lumière incandescente des ampoules électriques comprend toutes les couleurs, mais fait ressortir les ondes lumineuses longues

9/10 Dans la nature, chacune des saisons est caractérisée par un certain registre de couleurs. En passant par toutes les gammes de verts, jaunes, rouges et bruns, la végétation est en perpétuelle mutation chromatique, que ne cessent de modifier des qualités de lumière différentes.

11

11 Dans l'appréciation de la qualité chromatique d'un matériau, il est impossible de dissocier la matière de la couleur. Ce sont deux éléments intimement liés, et c'est par le toucher que l'on peut pleinement jouir de l'effet sensoriel d'une couleur.

Ce simple mur de grange, à Saint-Maurice-de-Remens (Ain), montre clairement que c'est la matière de chacun des matériaux – pisé, galets de l'Ain et bois – qui fait toute la richesse visuelle de ce détail.

correspondant au jaune et au rouge, et à toute la gamme des infrarouges, tandis que la lumière des tubes fluorescents met davantage en évidence les ondes correspondant au violet, au vert et au jaune.
Dans la fabrication et le choix des couleurs, la composition pigmentaire d'une tonalité doit être analysée avec méthode, car il arrive que deux mélanges paraissent semblables sous un certain éclairage et différents sous un autre. C'est ce qu'on appelle le métamérisme.
Une couleur est dite métamère lorsque sa composition pigmentaire produit des tonalités différentes, selon la nature de l'éclairage.

L'environnement
La nature de la lumière incidente n'est pas le seul facteur susceptible de modifier l'aspect d'une couleur. Quand on regarde une couleur, on est en effet influencé par ce qui l'entoure, tout environnement étant coloré, fût-il chromatiquement neutre. Nous rappellerons à ce sujet les travaux importants de Josef Albers sur la relativité des couleurs. Dans *L'Interaction des couleurs* (1), il écrit : « L'objectif de la plupart de nos études de couleur est de prouver que la couleur est le moyen d'expression artistique le plus relatif, que nous ne percevons pour ainsi dire jamais ce qu'est la couleur physiquement. »
Si l'on veut définir par exemple la couleur des portes ou des volets d'une maison rurale, on sera influencé par celle du mur, et si l'on veut définir la couleur du mur, on sera influencé par la végétation environnante...
« Une couleur ne peut prendre de valeur que par rapport à une absence de couleur, telle que le noir, le blanc ou le gris, ou une seconde couleur ou même plusieurs couleurs. » (Itten.) L'important, en effet, c'est la relation des couleurs entre elles : contrastes, dissonances, actions de l'une sur l'autre.
S'étant particulièrement consacré à l'étude des contrastes de couleurs et de leurs effets, Johannes Itten distingue sept contrastes :
1. le contraste de la couleur en soi ;
2. le contraste clair-obscur ;
3. le contraste chaud-froid ;
4. le contraste des complémentaires ;
5. le contraste simultané ;
6. le contraste de qualité ;
7. le contraste de quantité.

Le contraste simultané est le résultat d'un phénomène purement optique dont la découverte revient à Chevreul. Si après avoir fixé un carré vert pendant plusieurs secondes,

(1) Josef Albers, *L'Interaction des couleurs*, Paris, Hachette, 1974.

12

13

12/13 Ces pignons parisiens de la rue Quincampoix ont été transfigurés par le peintre Morellet, en 1971, grâce à un jeu contrarié de deux trames simples rouge vermillon sur fond bleu. On peut remarquer le filet clair qui se forme à la lisière du rouge et du bleu. C'est un phénomène optique qui se produit habituellement quand se rencontrent deux tonalités saturées complémentaires (chaud-froid) d'une même intensité lumineuse. Ces peintures ont été effacées en 1976, avant l'ouverture du Centre Georges-Pompidou.

14

15

nous portons notre regard sur une surface blanche, nous voyons apparaître un carré rouge. C'est « l'image résiduaire » (Itten) ou « image rémanente » (Albers), qui est toujours de la couleur complémentaire. Devant n'importe quelle couleur considérée, l'œil appelle la couleur complémentaire, et la produit si elle est absente. Cette modification de l'effet coloré se produit plus facilement avec tous les tons de gris : « Du fait de l'image rémanente, un gris clair, par exemple, peut avoir l'air sombre à un moment donné et presque blanc à un autre ; à divers moments, il peut même être perçu comme une teinte ou une nuance de n'importe quelle couleur, tout comme le vert peut paraître rougeâtre. » (Albers.)

Couleur et texture

Aux sept contrastes définis par Itten, ajoutons le *contraste de matière*. En effet, la couleur d'un matériau ou d'un objet est tributaire de la nature et de la texture de ses éléments constitutifs. Cette dimension spécifique à l'appréhension des couleurs est étroitement liée aux sens et plus particulièrement au toucher. Le besoin de mieux saisir la qualité d'une couleur incite l'observateur sensible à la toucher pour mieux en percevoir la matière souple ou rigide, douce ou rugueuse.

Couleur et matière sont interdépendantes et constituent une entité sensorielle.

Une même composition pigmentaire donnera des effets de couleurs très différents sur un support dont la surface s'exprime en plusieurs textures. C'est ce que nous appelons le contraste de matière.

Dans l'architecture ou les divers produits industriels, une surface mate, satinée ou brillante, mais aussi un relief ou un grenage provoquent des résultats de couleurs très différents avec une même base chromatique. Ici, intervient l'action de la lumière qui réagit différemment sur une matière lisse ou rugueuse. Dans des conditions normales d'éclairement, la surface lisse est beaucoup plus réfléchissante que la surface rugueuse qui absorbe davantage la lumière ; par conséquent, la même tonalité paraît généralement plus claire sur une surface lisse que sur une surface structurée. Cependant une surface structurée paraîtra plus claire si la lecture se fait sous l'angle réfléchissant la lumière que si elle s'effectue sous l'angle exposé à l'ombre.

On tiendra compte de ces observations lors du choix de couleurs sur échantillon.

Le pouvoir des couleurs

« La couleur donne la joie, elle peut aussi

14 Perception globale du village de Léry, près de Rouen, en Normandie.

15 Perception élémentaire d'une partie de deux maisons de ce village.

16

rendre fou », déclarait Fernand Léger. De fait, elle exerce sur tous les êtres vivants : hommes, animaux et plantes, des effets considérables favorisant ou, au contraire, compromettant leur bon développement. Sur l'être humain, les couleurs rouge orangé et bleu-vert provoquent des sensations de chaleur ou de froid, équivalant à une différence de température de 3 ou 4 degrés centigrades. Ces sensations, ne correspondant pas à une modification d'ordre thermique, sont le résultat d'un effet purement psychologique, mais n'en existent pas moins réellement. On distingue donc les *couleurs froides* et les *couleurs chaudes*, le jaune, l'orange et le rouge étant considérés comme des couleurs chaudes, alors que l'on range dans la catégorie des couleurs froides le vert, le bleu et le violet (à ne pas confondre avec le pourpre qui, résultant du mélange de rouge et de violet, est une couleur chaude).
Les couleurs chaudes possèdent le pouvoir de paraître plus proches qu'elles ne le sont en réalité, tandis qu'à l'inverse les couleurs froides suggèrent l'éloignement. Dans l'architecture nouvelle, la couleur peut jouer le rôle primordial qu'évoque Fernand Léger dans ces quelques lignes sur *Les Fonctions de la peinture* : « Le volume extérieur d'une architecture, son poids sensible, sa distance peuvent être diminués ou augmentés suivant les couleurs adoptées [...]. La couleur est un puissant moyen d'action, elle peut détruire un mur, elle peut l'orner, elle peut le faire reculer ou avancer, elle crée un nouvel espace. » Les peintres de l'art optique et de l'art cinétique ont encore, récemment, développé d'importantes recherches et mis en valeur le pouvoir dynamique des couleurs ; on peut citer Agam, Soto et Vasarely.

Le choix sur échantillon
La couleur est un puissant moyen d'action, mais il faut la considérer comme une force difficile à maîtriser pleinement, du fait que l'effet coloré ne correspond pas toujours à la réalité de la couleur. Etant donné qu'« aucun œil normal, même le plus entraîné, n'est à l'abri des illusions de couleur » (Albers), lors du choix de couleurs pour une architecture, sur échantillon ou sur maquette, il est préférable que certaines conditions se trouvent réunies : la lumière éclairant l'échantillon coloré doit correspondre à la qualité de la lumière diurne moyenne ; l'éclairement ne doit être ni trop fort (il affaiblirait la saturation de la couleur) ni trop

16 Le pouvoir de réflexion du blanc est très puissant. C'est la raison pour laquelle on l'utilise souvent dans la signalisation routière. Il faut l'utiliser avec prudence lorsqu'il s'agit de choisir les couleurs d'un édifice. Le blanc peut, en effet, être agressif et ne pas convenir à tous les types de paysages.

17

18

faible (il ferait blêmir ou verdir certaines couleurs). L'environnement de l'échantillon coloré est à choisir soigneusement afin d'éviter les illusions d'optique ; pour une meilleure perception chromatique – tonalité, valeur, saturation –, il est conseillé de comparer l'échantillon coloré avec un blanc, un noir ou un gris neutre.
En outre, et c'est là un point essentiel, pour définir la couleur d'une architecture, il faut tenir compte de son support et du contexte d'ensemble. On distingue en effet deux échelles de perception : *la perception globale* et *la perception élémentaire.* Lorsque l'on se trouve à une certaine distance d'un ensemble architectural, on le perçoit sous forme de taches colorées Si l'on se rapproche, la « perception visuelle » devient « tactile », selon les termes employés par Bernard Lassus, c'est-à-dire que les taches colorées prennent consistance à nos yeux, et qu'apparaissent la texture et la structure des différents matériaux de construction.
Il est du ressort du coloriste de procéder au choix de couleurs sur échantillon en toute connaissance des problèmes que soulève ce choix ; l'expérience lui permet d'imaginer le résultat obtenu par l'agrandissement de l'échantillon à une échelle monumentale, la saturation de la couleur étant en effet toujours plus affirmée sur l'échantillon que sur l'application à grande échelle. Un pignon de couleur saturée paraîtra beaucoup plus pâle à 100 mètres qu'à portée de la main. A l'image du son qui s'atténue avec la distance, la couleur s'estompe et perd de sa résonance avec l'éloignement. La présentation de couleurs sur maquette doit tenir compte de ce phénomène, en traduisant en valeurs plus faibles les couleurs choisies pour la mise en œuvre sur le terrain. Le blanc fait exception à cette règle, car cette couleur réfléchit violemment la lumière et contraste fortement avec l'environnement minéral ou végétal. C'est la raison pour laquelle le blanc est souvent utilisé dans la signalisation routière.

L'enseignement de la nature
Nous vivons dans un système évolutif et savons que notre environnement architectural ne peut demeurer ce qu'il fut. Cependant il est toujours destiné à l'homme, et à son épanouissement dans un cadre de vie harmonieux, en répondant à ses besoins et à ses désirs.
Dans notre démarche, nous ne sommes pas seulement sensibles aux qualités visuelles et culturelles de l'architecture traditionnelle, mais nous savons aussi reconnaître l'enseignement que dispense la nature par la variété et la richesse de ses couleurs.
L'observation de la nature demeure une source de référence fondamentale et universelle. *La lumière* est à l'origine des phénomènes chromatiques ; l'arc-en-ciel en particulier, longtemps considéré par les Anciens comme une divinité, en réalité phénomène dû à la décomposition des rayons solaires par les gouttelettes d'eau en suspension dans l'air, nous offre le spectacle magnifique de ses couleurs à l'état pur.
Le monde minéral, le monde végétal et le monde animal sont parés des couleurs les plus fantastiques. Sur le plan de l'expression visuelle, on y trouve des contrastes chromatiques, rythmiques et graphiques qui dépassent l'imagination.

17 La nature végétale est le lieu privilégié où la couleur prend d'innombrables formes suivant qu'elle est libre et sauvage dans les terres non cultivées, ou qu'elle est contrôlée par la main de l'homme. Au moment de la floraison, les champs offrent une éclatante profusion de couleurs selon les espèces cultivées : colza, lavande, tournesol et multiples céréales dont les tonalités contrastent vivement avec le vert de la campagne environnante.

18 L'arc-en-ciel est dû à la décomposition des rayons solaires par les gouttelettes d'eau dans l'air. Il se compose des couleurs du prisme : violet, indigo, bleu, vert, jaune, orangé et rouge. Il joue un rôle très important dans diverses mythologies de par le monde : dans la Bible, il est le signe de la promesse faite à Noé par Dieu, promesse selon laquelle il n'y aurait plus jamais de déluge sur terre. Dans l'antiquité gréco-romaine, l'arc-en-ciel est l'écharpe d'Iris, la messagère des dieux, dont le rôle est de transmettre aux autres dieux, ou aux mortels, les décisions de Zeus. Par ailleurs, en Australie, le serpent arc-en-ciel permet au chaman d'atteindre le ciel. Dans tous les cas, ce phénomène atmosphérique est interprété comme un signe d'alliance entre le ciel et la terre, entre les dieux et les hommes.
Composé des sept couleurs élémentaires ordonnancées avec toute l'infinité de leurs nuances, l'arc-en-ciel symbolise également le pouvoir magique de la couleur, pouvoir dont témoignent toutes les étapes de l'histoire de la peinture.

19

19 Le « Petit-Colorado », situé dans le Vaucluse, est une ancienne carrière d'ocre où toutes les couleurs de l'oxyde de fer sont magnifiquement représentées.

L'habitat traditionnel Palette générale

Avant d'aborder l'analyse d'un site particulier, il semble opportun de pratiquer l'inventaire général des couleurs que l'on est susceptible de rencontrer dans l'habitat français.
La diversité des matériaux de construction employés, la richesse de la palette chromatique qui caractérise chacun de ces matériaux, les variations de couleurs sous l'effet des changements de lumière sont autant d'éléments constitutifs de la géographie des couleurs de la France.
On peut désigner sous le terme de *palette générale* les dominantes chromatiques architecturales constituées par la couleur des toits et des murs qui représentent habituellement la majeure partie apparente d'une construction.
Les toitures, en particulier, ont une importance visuelle que l'on aurait parfois tendance à négliger. Très différentes d'une région à l'autre, en raison des traditions locales, des conditions géologiques et climatiques, elles participent grandement au caractère global d'une agglomération ou même d'une province ; c'est le cas, par exemple, des toits alsaciens ou provençaux. Les formes et les couleurs des toits ont un effet d'autant plus grand sur l'ensemble du paysage qu'ils sont perçus en vue plongeante, comme cela se produit dans un site vallonné ou montagneux.
La palette chromatique des toits et des murs est la conséquence visuelle de l'utilisation des matériaux de construction qui, dans l'habitat traditionnel, sont les matériaux locaux. En effet, jusqu'au XIXe siècle, le paysan, pour construire sa maison, employait les matériaux qu'il trouvait sur place ou à proximité, à cause du manque de moyens de transport.

Primitivement en bois ou en torchis, la maison rurale fut par la suite bâtie en brique ou en pierre, suivant la nature du terrain. Dans *L'Art de restaurer une maison paysanne* (1), Roger Fisher remarque que « la marge entre les maisons de pierre et celles de brique ne s'écartait guère, au maximum, que d'une dizaine de kilomètres des limites géologiques entre roche dure et terre meuble, soit la distance correspondant au " rayon d'action " raisonnable des charrois d'autrefois ».
Ainsi, en Haut-Languedoc, Albi est construite en brique, alors que sur les plateaux avoisinants les murs des maisons sont en pierre calcaire. Les villes, qui se sont progressivement développées à partir d'un matériau local, présentent de ce fait un caractère chromatique original, provenant de l'accumulation des matériaux de base. Par exemple, les villes de Soissons et de Saint-Quentin, à une soixantaine de kilomètres l'une de l'autre, sont caractérisées par des couleurs dominantes très différentes : rouge brique à Saint-Quentin, blanc beige à Soissons (calcaire du Soissonnais).
Dans certaines régions, le bâtisseur avait à sa disposition plusieurs matériaux. Ainsi, en Touraine et en Anjou, existaient de nombreux logis à colombage avec croisillons de bois et hourdis de torchis, et ce malgré l'abondance du tuffeau local.
Si l'utilisation des matériaux de construction locaux est un facteur important de la diversité régionale, elle a néanmoins pour conséquence essentielle d'établir une relation

(1) Roger Fisher, *L'Art de restaurer une maison paysanne*, Paris, Hachette, 1966.

20

visuelle étroite entre l'architecture et le sol qui la porte.
Autrefois, en France, il était de coutume de laisser les matériaux de base – pierre, brique ou enduit – dans leur expression la plus naturelle ; même pour les revêtements de bois, on ne faisait pas usage de peinture de protection. Il s'en est suivi une profonde relation visuelle entre le bâti et son environnement. L'insertion de la construction dans le paysage est parfois si intime qu'il en résulte un véritable phénomène d'homochromie. C'est notamment le cas de certaines fermes montagnardes – l'habitat étant alors plus fortement soumis aux conditions naturelles que dans la plaine – et de nombreux villages provençaux dont les couleurs sont pratiquement celles de la terre (le village de Roussillon en est un exemple significatif). Cependant il n'y avait chez les bâtisseurs de naguère aucune volonté de rechercher artificiellement ce mimétisme ; l'intégration de l'architecture au paysage se faisait tout naturellement.

La couleur des matériaux de construction
Les matériaux de construction étant le support physique de la couleur, la palette générale de l'habitat dépend de la nature du ou des matériaux employés pour la construction des toits et des murs, ainsi que de leurs proportions.
On peut classer les matériaux utilisés dans l'habitat traditionnel en deux grandes familles : celle des matériaux végétaux et celle, plus vaste et plus diversifiée, des matériaux minéraux.

Les matériaux végétaux
Ce sont les matériaux d'origine végétale – bois et fibres végétales – qui, les premiers, furent employés par les hommes pour la construction de leur habitat.

Le bois
Jusqu'au XVIIe siècle, le bois fut considéré comme le matériau de construction le plus pratique et le plus économique ; il présentait en outre l'avantage d'être réutilisable d'une construction à l'autre.
Le bois a parfois été employé seul. Soit suivant le procédé primitif qui consiste à empiler des rondins de sapins ou d'épicéas ; en Savoie, quelques chalets ou granges sont encore construits sur ce principe. Soit, plus fréquemment, selon une technique d'assemblage de planches se chevauchant les unes les autres ; on peut voir de tels murs sur certaines maisons montagnardes des Vosges, du Jura et des Alpes.
Mais, dans la plupart des cas, le bois a été utilisé pour constituer l'armature principale de la maison, le remplissage étant fait de brique ou de pisé, selon la technique du colombage qui, au Moyen Age, s'est généralisée partout en France sauf dans le Midi, au moins pour les bâtiments secondaires. L'architecture à pans de bois est traditionnellement celle de l'Est, de la Normandie et du Pays basque.
Le bois utilisé est généralement le chêne qui, débité à la hache et fendu au coin, conserve sa courbure et sa sinuosité naturelles. Les pièces de bois sont assemblées en motifs différents suivant les régions : en Normandie, prédominent les chevrons simples ou désaxés, et les rythmes verticaux ; dans l'Est, ce sont les carrés et les rectangles traversés d'éléments obliques ; au Pays basque, la façade des maisons est quadrillée de pans de bois verticaux et horizontaux, les écharpes obliques ne jouant qu'un rôle très secondaire.
Le colombage est parfois protégé, surtout sur les murs exposés à la pluie, par un essentage de bois refendu, placé verticalement ou horizontalement.
Les bardeaux de bois, largement utilisés au temps des Romains et jusqu'au XVe siècle, servent encore à recouvrir les toits dans les régions montagneuses ; les lattes de bois, taillées dans le sens du fil dans des billots de sapin, d'épicéa, de mélèze, de chêne ou de châtaignier, sont disposées comme des ardoises. Laissé naturel, le bois prend en vieillissant des tons brun verdâtre ou gris argenté. La *couleur* du bois et sa texture sont différentes selon qu'il s'agit de bois feuillus ou de bois résineux.

21

20/21 A soixante kilomètres seulement l'une de l'autre, les villes de Saint-Quentin et de Soissons, dans le département de l'Aisne, présentent une physionomie chromatique particulière.
C'est le matériau local, respectivement la brique et la pierre de taille, qui donne à chacun de ces paysages urbains sa palette originale. Brique et pierre calcaire ont leur propre identité visuelle dont il est nécessaire de tenir compte pour la construction et la rénovation.

22

Parmi les bois feuillus, l'un des plus nobles, le chêne, a une couleur qui varie selon ses espèces (on en compte une soixantaine). Les deux plus employées sont le chêne blanc, ou chêne pédonculé, de couleur jaune clair ou jaune-brun, qui prend en vieillissant et sous l'action de l'eau une teinte rosée, et le chêne rouvre, ou chêne de Bourgogne, qui est d'un coloris plus foncé.
Bien que de qualité inférieure, le hêtre remplace souvent le chêne ; il est de couleur brun clair et veiné de parties brillantes plus claires. Quant au châtaignier, il est en de nombreux points comparable au chêne, mais de couleur plus rouge.
Les bois résineux les plus utilisés sont l'épicéa, bois blanc légèrement moiré, le sapin, très résistant à l'humidité et de couleur blanc mat avec un cœur légèrement rougeâtre, et le mélèze, de qualité analogue à celle du sapin, mais présentant un grain plus fin et plus serré, et une teinte rouge saumon avec des veines foncées.
Aujourd'hui, on dispose rarement de bois de brin dont la sinuosité et la matière font le charme des pans de bois, mais surtout de bois de sciage rectilignes portant des traces d'outillage trop apparentes pour simuler le dressage à l'herminette.
De plus, le bois est souvent recouvert par une peinture de protection qui lui donne, quelle que soit son espèce, un aspect uniforme.
Néanmoins, on trouve à présent des vernis d'imprégnation qui protègent le bois en profondeur tout en lui conservant sa texture et sa couleur initiales.

Le chaume
Après avoir été utilisé dans l'ensemble de la France comme matériau de couverture des maisons rurales, le chaume s'est vu supplanter par la tuile et l'ardoise que l'amélioration des moyens de transport, sous Louis-Philippe et Napoléon III, permit d'introduire dans toutes les provinces.
Malgré ses nombreuses qualités (il est économique, étanche, et c'est un isolant thermique incomparable), ce mode de couverture avait été prohibé dès le XVIe siècle en raison de sa combustibilité. A partir du XVIIe siècle, l'ardoise s'est substituée au chaume sur les toitures des maisons rurales bretonnes. Les couvertures de fibres végétales restent cependant assez nombreuses dans les régions de marais, aux embouchures des fleuves, en Normandie...

22 Cette habitation rurale, près d'Albi, montre bien l'intime relation des couleurs qui, dans la construction traditionnelle, existe entre le sol et le matériau local. Les couleurs minérales s'expriment ici davantage en contrastes de valeurs qu'en contrastes de tonalités.

23

23 Le village de Gordes, dans le Vaucluse, a une relation visuelle très étroite avec la roche calcaire sur laquelle il s'accroche.
La vision globale traduit nettement les deux composantes des couleurs de l'environnement : couleurs impermanentes (ciel et végétal) et couleurs permanentes représentées par les éléments minéraux.

24

25

La *couleur* des fibres végétales varie suivant leur nature. En effet, en fonction de la production locale, on emploie la paille de blé, de seigle ou de lin. Les roseaux, qui servaient autrefois à la construction de huttes entières, en particulier dans le Marais poitevin et en Camargue, sont utilisés aujourd'hui encore dans les régions marécageuses pour la fabrication des toitures ; le roseau de Camargue ou *sagno*, employé sur place pour couvrir les bergeries et les cabanes de gardians, est un matériau d'une qualité remarquable.
En vieillissant, le chaume change de couleur : blond et chatoyant lorsqu'il est neuf, il noircit au fil des années et prend des tons mordorés.

Les matériaux minéraux
L'utilisation des matériaux minéraux est beaucoup plus importante que celle des matériaux végétaux, notamment du fait de leur variété. On distingue deux grandes catégories : l'une est représentée par la terre et le sable, tandis que l'autre comprend tout l'éventail des différentes roches..

La terre et le sable
La terre partage avec le bois l'honneur d'être un des matériaux les plus anciennement utilisés par l'homme pour son habitat. Après avoir servi à combler les fentes des premières maisons de bois, elle devint un matériau de construction à part entière dès que le bois commença à manquer du fait de la surexploitation des forêts. Avec ou sans armature de bois, les constructions d'argile crue remontent sans doute à la plus haute antiquité.

Matériaux à l'état brut
L'argile, constituée essentiellement par des silicates d'alumine hydratée, est à l'état pur de couleur blanche, mais elle est ordinairement mélangée avec divers minéraux qui influent sur ses propriétés physiques ; ce sont ces impuretés (oxyde de fer, potasse, soude, magnésie, carbone) qui la colorent en vert, bleu, gris, jaune, rouge ou brun... Les ocres jaunes et rouges doivent, en particulier, leur coloration à la présence d'oxyde de fer.
L'argile est présente dans tout le Nord de la France, l'Est, la Normandie et le Bassin parisien ; il y a aussi de bonnes argiles rouges en Bourgogne et en Charente.
Mélangée avec de l'eau, l'argile forme une pâte plastique qui se laisse aisément façonner et constitue un matériau de base essentiel.
Le sable fait partie des agrégats employés en maçonnerie. Constitué de fragments de roches réduits en particules très petites, parmi lesquelles domine la silice, il peut avoir des origines diverses : selon les cas, il provient du rivage marin ou du lit des rivières, mais en général le sable marin est trop fin pour être utilisé. On exploite également le sable des carrières, composé de sables fossiles autrefois transportés par les eaux ou de sables vierges résultant de la décomposition de roches arénacées, feldspathiques ou argileuses et qui, par conséquent, sont mélangées d'argile en proportion variable.
La texture des sables varie selon leur provenance ; les grains de sables fossiles sont généralement plus anguleux que ceux du sable de mer ou de rivière. Sur le plan chromatique, les différents sables offrent un large éventail de tonalités, allant du blanc au verdâtre, en passant par le gris, le jaune et le rouge... Les sables de rivière sont les plus clairs, car ils sont débarrassés de toute matière colorante, tandis que les sables de carrière, bien que lavés, conservent une certaine quantité de terre qui communique à l'ensemble ses colorations variées.

Matériaux manufacturés
Les matériaux de construction obtenus à .

24 Parmi les matériaux végétaux, le bois est utilisé encore fréquemment dans l'architecture rurale. La patine qu'il a pris en vieillissant donne à ce mur de planches une qualité visuelle très agréable (Normandie).

25 Chaumière de l'île de Fédrun, dans la Grande Brière. Matériau végétal par excellence, le roseau est utilisé pour la couverture des maisons briéronnes : les « ros », coupés encore jeunes, sont mis à sécher, assemblés en bottes, puis fixés sur une charpente légère ; ils constituent une protection très efficace contre la pluie et le froid.

partir de la terre et du sable, quelle que soit la technique employée pour leur mise en œuvre, présentent une gamme de couleurs étendue, accompagnée d'une texture très vivante.
L'argile séchée est le matériau de base employé pour élever les murs de pisé ou de torchis qui étaient naguère réalisés sur place, avec la terre même du lieu, par le paysan ou par des artisans itinérants. On trouve encore de nombreuses constructions de *pisé* en Normandie (pays d'Ouche, Cotentin, Bocage et Bessin, où l'on peut même voir des maisons à étage) et surtout dans la région lyonnaise. Matériau économique et isolant, le pisé a sur le plan visuel des qualités remarquables de matière – le relief de la terre transparaissant même sous le lait de chaux protecteur –, de structure grâce aux « trous de boulins » plus ou moins bien rebouchés qui animent la surface des murs, et, lorsqu'il est laissé à nu, de coloration, avec des tons chauds variant du jaune au brun orangé suivant les régions d'extraction de l'argile.
Lorsqu'il n'est pas enduit, *le torchis* présente les mêmes qualités chromatiques que le pisé et une richesse de matière comparable. Celle-ci est toutefois légèrement différente à cause du mélange à l'argile de matières fibreuses, telles que la paille, le foin ou la bruyère hachés.
Tandis que le pisé sert à la construction de murs porteurs, le torchis est généralement employé pour combler les intervalles entre les pans de bois des maisons normandes ou picardes. En Vendée, cependant, les petites maisons du Marais breton sont uniquement faites en « bourre », terre malaxée avec de la paille de roseaux hachée – d'où leur nom de « bourrines » ; en raison de leur fragilité, les murs blanchis à la chaux sont bas et très épais, les ouvertures y sont peu nombreuses. Ces matériaux sont aujourd'hui en voie de disparition au profit d'autres plus résistants qui, peu à peu, modifient non seulement l'aspect coloré, mais aussi la structure architecturale des bâtiments.
Comme l'argile séchée, l'argile cuite permet de fabriquer un matériau, *la brique*, servant à la construction des murs. Elle fournit aussi un matériau de couverture aux formes diverses, *la tuile*.
La tuile romaine fut, comme son nom l'indique, importée en Gaule par les Romains et resta en usage dans le Midi, méditerranéen et aquitain, ainsi qu'en Lorraine, jusqu'au XIe siècle, époque à laquelle elle fut progressivement remplacée par la tuile canal qui présentait l'avantage d'être plus légère, plus facile à poser et constituait à elle seule les deux éléments de la tuile romaine (*imbrice et tegula*).
Tandis que tuiles romaines et tuiles canal sont posées sur des toits relativement plats afin d'éviter leur glissement, les tuiles plates s'accommodent de toits à forte pente.
Les tuiles furent introduites en Bourgogne par les moines cisterciens qui les fabriquèrent avec l'argile locale pour en couvrir leurs abbayes. Puis, remplaçant le chaume, elles se sont répandues au XIXe siècle sur les toits de la plupart des provinces du Nord et du Centre : Ile-de-France, Champagne, Bourgogne, Nièvre, Loiret, Normandie, Dordogne. Ces tuiles sont parfois taillées en écailles, comme à Altkirch en Alsace, ce qui leur donne un charme très particulier.
Comme la tuile plate, la panne flamande, tuile en forme de S dérivée de la tuile canal et dont la vague est orientée sous le vent dominant, réclame une pente accentuée du fait de son faible recouvrement. On la trouve en Picardie et dans le Nord où elle est fabriquée sur place.
La couleur des tuiles dépend de plusieurs facteurs : de la composition de la terre disponible localement, de la présence d'impuretés dans l'argile telles qu'oxydes métalliques ou matières organiques, ainsi que du procédé de fabrication, du mode et du temps de cuisson.
Les teintes obtenues changent d'une région à l'autre, et d'une cuisson à l'autre. Même cuites artisanalement, les tuiles présentent, à cause des divers degrés de cuisson, des tonalités légèrement différentes. Allant de l'ocre clair au rose lorsqu'elles sont neuves, elles se patinent sous l'action du soleil et des

26

26 Ferme au Vaudreuil, en Normandie. Sur un soubassement de moellons calcaires, ce mur de pisé ocre jaune reprend les tonalités du champ à la lisière duquel il s'élève.

27

intempéries, prenant alors des tons plus bruns et plus chauds.
En pâte molle façonnée à la main, par conséquent épaisses, gauches et irrégulières, elles ont une belle matière vivante. Les tuiles modernes, fabriquées industriellement, plus solides, font à présent l'objet de recherches, plus exigeantes qu'il y a quelques années, sur le plan de la qualité visuelle.
La brique cuite, connue dès l'Antiquité, était avant sa vulgarisation le matériau avec lequel on construisait les murs dans les régions où dominait l'argile : Nord de la France, Haute-Normandie, Sologne et Haut-Languedoc.
La brique a l'avantage d'être économique, facilement maniable, solide et ininflammable. Elle présente, en outre, la particularité d'être un module de base qui, en fonction de la nature de son appareil, du graphisme des joints et des différences de couleurs, constitue un moyen d'animation de surface particulièrement vivant.
La brique longue et mince du Toulousain et de l'Albigeois, très intéressante sur le plan esthétique, a permis la réalisation de véritables chefs-d'œuvre, tels que la cathédrale d'Albi.
Les couleurs de la brique, comme celles de la tuile, dépendent en particulier de la composition de la terre employée, laquelle contient généralement du sable, de l'oxyde de fer anhydre ou hydraté, du carbonate de chaux, des matières combustibles ou bitumeuses, qui viennent modifier la couleur de l'argile. Ainsi, dans le Nord, on ajoute parfois à la terre lorsqu'elle est trop argileuse des cendres de houille passées au tamis.
La cuisson a également une grande importance sur la coloration des briques. Traditionnellement cuites en plein air dans le Nord, avec la terre même du lieu de la construction, elles ont des tonalités plus variées que lorsqu'elles sont cuites au four.
La température de cuisson, variant entre 1 000 et 1 400 degrés, intervient également : les briques les moins cuites sont assez claires, avec de jolies teintes roses ou orangées, et les plus cuites tirent parfois sur le noir.
La brique peu cuite présente cependant l'inconvénient d'être fragile. Aujourd'hui, elle est le plus souvent remplacée par la brique industrielle, épaisse et courte, de couleur plus sombre et plus uniforme.

La pierre
Dans *Principes de géographie humaine*, Paul Vidal de La Blache a dressé une carte des matériaux de construction utilisés en Europe, sur laquelle on peut constater que toutes les provinces de France, sauf la Normandie, utilisent la pierre.
On remarque toutefois que, même en Normandie, on emploie la pierre dans le Bocage normand, le Cotentin et la plaine de Caen.
Chaque région a sa couleur, qui lui vient de la nature de la pierre que le bâtisseur trouvait sur place ou qu'il faisait venir de la carrière la plus proche. Ainsi les constructions bretonnes sont grises par suite de l'utilisation de l'ardoise et du granit ; celles de la Touraine, blanches comme le tuffeau local..., chacune de ces roches ayant une texture et une coloration qui lui est propre.

Matériaux à l'état brut
Suivant leur origine, on classe ordinairement les roches en trois grandes catégories : les roches *éruptives* situées primitivement dans

28

27 La tuile canal fut introduite dans le Midi à l'époque romaine ; de là elle gagna une grande partie de la campagne française. La terre avec laquelle elle est fabriquée contribue à lui donner ses chaudes tonalités dont les nuances innombrables varient avec sa composition et le degré de cuisson.

28 Hourdis de torchis dans l'entre-colombage d'une vieille grange normande.

29

les profondeurs de l'écorce terrestre, les roches *sédimentaires* qui proviennent de la surface du globe, enfin les roches *métamorphiques* résultant de la transformation, sous l'effet de facteurs divers, de certaines roches éruptives ou sédimentaires.
Les roches éruptives comprennent principalement :
Les granits, roches grenues de profondeur, résultant de l'agglomération de trois minéraux discernables à l'œil : le quartz, habituellement incolore, le feldspath dont la couleur varie du rose au blanc et le mica constitué de lamelles brillantes, transparentes ou noires. Le granit est présent dans toutes les régions montagneuses de France, mais ses principaux lieux d'extraction se trouvent en Basse-Normandie, en Bretagne, dans le Limousin et les Vosges. Ses couleurs dominantes sont le gris bleuté, le jaunâtre ou le rose, avec des petites taches brunes.
Les basaltes, roches de surface noires et denses, mises en place au cours d'éruptions volcaniques, sont composés essentiellement de feldspath et de pyroxène. Ils sont exploités en Auvergne (Cantal, Haute-Loire), en Ardèche, dans l'Hérault. Ils sont débités sous forme de moellons.
Les andésites sont des roches rugueuses de couleur grise, souvent vacuolaires comme la pierre de Volvic qui constitue un matériau de construction très estimé dans la région du Puy-de-Dôme.
Parmi les roches sédimentaires, seules nous intéressent, en tant que pierres, les roches siliceuses et les roches calcaires.
Les roches siliceuses sont des roches dures, composées principalement de silice à l'état libre ou mélangée à un ciment, comme *le grès* dont les grains de quartz plus ou moins gros, angulaires ou arrondis, présentent la caractéristique d'être relativement indestructibles. Il en existe de nombreuses variétés, parmi lesquelles le grès de Fontainebleau et des environs de Paris, le grès houiller du Nord et du Centre de couleur grise, le grès rouge des Vosges et, enfin, le grès gris de l'Aude et de l'Hérault, fournissent d'excellentes pierres de taille.
La molasse est également une roche sédimentaire composite constituée de grains quartzeux et calcaires. De couleur verdâtre, elle est souvent trop tendre pour la construction, mais fournit cependant en Savoie d'assez belles pierres de taille.
Quant à *la meulière*, caverneuse, de couleur

29 La brique, autrefois de fabrication artisanale, est aujourd'hui produite industriellement.

Parmi les composants industriels destinés au bâtiment, c'est le matériau modulaire le plus ancien. Datant du début du siècle, ces maisons de La Chapelle-d'Armentières, dans le Nord, montrent qu'à partir d'une sobre gamme de couleurs, où parfois intervient le décor émaillé, les bâtisseurs de l'époque savaient donner une élégante diversité à une architecture qui a gardé tout son charme.

30

31

32

claire, tachée de rouille, elle résulte de la décalcification des calcaires de Brie et de Beauce. Légère et résistante, elle fournit d'excellents moellons pour les constructions des environs de Paris.

Les roches calcaires sont composées de carbonate de chaux plus ou moins pur, mélangé à d'autres matières (argile, magnésie, silice, oxydes métalliques) qui modifient leur consistance et leur couleur. Elles fournissent la majeure partie des pierres de construction grâce à leur abondance dans toutes les régions, leur résistance et leur facilité de taille. Leur coloration est claire et uniforme, généralement blanc jaunâtre.

Parmi les différentes variétés utilisées pour la construction, on distingue les *calcaires compacts* à grains fins et homogènes, les *calcaires à entroques*, non gélifs et d'excellente qualité, extraits dans la Meuse et dans l'Yonne, les *calcaires oolithiques*, moins durs et parfois gélifs que l'on trouve dans le Calvados, la Côte-d'Or, l'Yonne, le Jura, les Ardennes et la Meuse, les *travertins*, calcaires compacts présentant de nombreuses cavités et fournissant en Seine-et-Marne des pierres solides de grande dimension, et le *calcaire grossier*, formation calcaire très étendue dont Paris occupe le centre et qui comprend des pierres dures comme le liais, le clignart, le

30 Brique de Sologne.

31 Variations de couleurs sur cet appareil de brique dans l'Aisne.

32 La variété des couleurs de la brique, due à la composition de l'argile ou aux différents temps de cuisson, permet au maçon de créer des motifs décoratifs géométriques, comme on peut le voir sur de nombreuses habitations solognotes.

banc-franc, et des pierres tendres comme la lambourde, le vergelé, la pierre de Saint-Leu, le parmain...
On emploie également les calcaires terreux comme la craie et les calcaires argileux pour la fabrication de la chaux.
Dans les roches métamorphiques, l'orientation des différents matériaux laisse apparaître une disposition en feuillets. C'est le cas du *gneiss*, granit métamorphique de couleur grise ou rose, qui fournit des moellons à surfaces parallèles et du *schiste* qui se débite facilement en dalles plates de qualité médiocre et de couleur gris bleuté tirant parfois sur le violet de manganèse ; le schiste fournit surtout l'ardoise au grain fin et dur, non poreuse et inaltérable, donc inattaquable par les agents atmosphériques.
Les gisements de schiste ardoisier se trouvent principalement en Anjou, en Bretagne, dans les Ardennes, dans les Pyrénées et en Savoie.
La coloration de l'ardoise en vert, rouge ou bleu, est due à la présence de certains métaux tels que le cuivre, le manganèse et le cobalt.
Ainsi, les ardoises du bassin d'Angers, de Maël-Carhaix (Côtes-du-Nord) et de Rimogne (Ardennes) ont une coloration gris-bleu ; dans les Pyrénées, les Causses et les Alpes, on trouve des ardoises bleues ou noires ; à Ploërmel dans le Morbihan, à Rimogne et à Fumay dans les Ardennes, il y a des gisements à dominante verte. Fumay fournit également des ardoises violettes et rouges...

Matériaux maçonnés
La couleur d'un mur ou d'un toit dépend essentiellement du matériau de base employé pour sa construction, mais la mise en œuvre du matériau est, sur les plans visuel en général et chromatique en particulier, d'une importance capitale : un mur de moellons calcaires n'aura pas le même aspect si les pierres sont enduites ou si elles sont montées à sec.
Les diverses techniques de maçonnerie couramment utilisées dépendent des traditions régionales de construction et des contraintes imposées par la nature du matériau trouvé sur place.
Le matériau peut être laissé apparent ; il peut être enduit ou encore être combiné avec d'autres matériaux pour former une maçonnerie composite.

Maçonnerie apparente
Lorsque la maçonnerie reste apparente, la palette générale – dominante chromatique des toits et des murs – demeure fondamentalement celle des divers matériaux de base dont nous venons de voir rapidement

33

34

33 Gris oxydé d'une façade en moellons de granit, dans les Côtes-du-Nord, à Saint-Quay-Portrieux.

34 Association de granit et de basalte dans la maçonnerie de ce mur, à Apchon, dans le Cantal.

les caractéristiques sur le plan de la couleur et de la texture. Cette constatation s'applique d'ailleurs à n'importe quel matériau autre que la pierre, du moment que celui-ci reste à nu. La tonalité des murs de pierres sèches est exactement celle du matériau employé. Ces murs sont constitués de moellons durs, larges et plats qui, bien calés les uns sur les autres et disposés régulièrement en rangs horizontaux, n'ont guère besoin d'être consolidés au moyen d'un liant. On les trouve dans les régions où les bancs de pierre (schiste ou calcaire) se débitent facilement : Auvergne, Bourgogne, Provence, et dans certaines zones, comme la plaine de Caen en Normandie, où l'on utilise les plaquettes calcaires.
On peut encore voir des constructions entièrement réalisées en pierres sèches dans

35

36

les régions où, chaque année, le paysan devait épierrer son champ avant de l'ensemencer. Avec les pierres ainsi amassées, il se construisait une cabane pour s'abriter, selon une technique remontant à la plus haute antiquité : les murs, plus épais à la base qu'à la partie supérieure, étaient recouverts d'une voûte constituée par des plaques de pierres superposées (les plus légères au sommet) de façon à former une toiture conique suivant le principe de l'encorbellement.
Ces cabanes sont désignées par des termes différents suivant les régions : « loges » ou « cadoles » en Bourgogne, « chibottes » dans le Velay, « cases » en Auvergne, « borries » en Provence, « garriottes » en Sarladais...
Ces constructions de pierres sèches sont très intéressantes sur le plan visuel, la structure de la pierre faisant jouer la lumière et l'ombre soulignant la mise en œuvre du matériau.
La pierre de taille, disposant d'une bonne assise du fait de sa forme et de son poids, a pu être également montée à sec dans l'Antiquité et permettre un appareil magnifique comme celui que l'on peut admirer sur le pont du Gard.
D'ailleurs, sur un mur en pierre de taille, les joints sont toujours très minces et discrets, à peine apparents. Ils prennent une plus grande importance sur les murs de moellons liés avec un bain de mortier. L'appareillage du matériau influe alors dans une certaine mesure sur la palette générale puisqu'il fait intervenir un matériau de soutien qui a une texture et une coloration déterminées par sa composition.
Suivant la technique employée, les joints ont une importance visuelle plus ou moins grande : ils peuvent être pleins, c'est-à-dire affleurer à la surface extérieure du mur de pierre ou de brique dont ils font chanter la couleur avec leurs tonalités blondes ou ocrées, ou encore être « beurrés » comme dans certaines constructions rurales dont les matériaux plus irréguliers ou de qualité médiocre disparaissent en grande partie sous l'étalement du mortier.

Maçonnerie enduite
Les murs de pisé, à colombage ou de pierres tendres (moellons et parfois même pierres de taille) sont généralement recouverts, au moins lorsqu'ils sont exposés aux vents chargés de pluie, d'un enduit destiné à les protéger contre les dégradations causées par l'humidité et les intempéries.

35 Grès rose, à Strasbourg.

36 Habitation du début du siècle, en pierre meulière, à Versailles.

37

38

39

Dans certaines régions, cependant, l'enduit assume sur la façade une fonction purement décorative, les murs secondaires demeurant à l'état brut.
Lorsque la maçonnerie est ainsi recouverte d'un enduit, la dominante chromatique des murs n'est plus celle du matériau de support, mais celle du matériau de recouvrement qui a une coloration, mais aussi une matière et une facture qui lui sont propres.
Selon les cas, il s'agit d'un mortier de ciment, de plâtre ou de chaux. Le mortier de chaux tire sa coloration d'agrégats locaux, d'ardoises ou de pierres broyées, de briques ou de tuileaux pilés. Quant au plâtre, son utilisation s'est longtemps limitée à l'Ile-de-France où il abonde et où il est employé pour les joints, les enduits intérieurs et extérieurs, ainsi que pour les raccords de toiture. Naturellement de

37 Murs et encadrements de calcaire dur, à Nitry, en Bourgogne.

38 L'appareil de schiste et de grès rose, qui encadre la porte de bois patinée par le temps, met en évidence l'incomparable palette de couleurs que proposent les matériaux locaux. A leur couleur intrinsèque s'ajoute l'animation structurelle apportée par la mise en œuvre. La matière et la couleur sont indissociables et prennent toute leur richesse, sous l'action de la lumière (Allassac, en Corrèze).

39 Appareil de grès rouge, à Collonges-la-Rouge dans le Limousin.

40

41

42

43

40 Muret de pierres calcaires tendres, dans l'Aisne.

41 Moellons calcaires et joints de mortier de terre, dans le Soissonnais.

42 Chaîne d'angle en pierre de taille, bordant un mur de pierres sèches, dans le Lot-et-Garonne.

43 Tuffeau – pierre calcaire tendre – à Montsoreau, sur les bords de la Loire.

couleur blanche, il peut être coloré par l'addition de sable, de briques ou de tuileaux pilés. Mélangé à la chaux pour une plus grande solidité, il peut concurrencer le ciment sur le plan technique et présente sur celui-ci l'avantage de sa matière vivante et de ses tonalités claires et lumineuses.

Maçonnerie composite
Elle est constituée par le mélange de divers petits matériaux disponibles localement, tels que silex ou galets, et d'éléments plats – briques ou moellons – qui assurent la stabilité de l'ensemble au moyen de bandes horizontales. Dans la région toulousaine, ce sont les cailloux roulés de la Garonne, qui, agglomérés dans le ciment, emplissent les espaces entre les cordons horizontaux de briques plates ; dans le Béarn, les galets sont disposés régulièrement en forme de fougère ou d'arête de poisson ; en Normandie, dans la région de Dieppe, ils sont coupés en deux et animent le mur de leurs cassures noires et polies et, sur les murs – pignons de la région de Caudebec-en-Caux, ils alternent en rangs réguliers avec briques et petits moellons carrés de pierre calcaire.
Cette alternance dans le choix des matériaux, dictée par des considérations d'ordre pratique, mais judicieusement exploitée par les bâtisseurs, confère à la maçonnerie une qualité visuelle et une richesse chromatique incomparables. L'examen de la palette générale de l'habitat traditionnel français prouve que la prolifération de la couleur sur les murs des constructions contemporaines est un phénomène relativement nouveau.
Dans une architecture essentiellement rurale, la couleur venait d'elle-même, et de la façon la plus naturelle, par les matériaux que l'on trouvait sur place. Malgré leur diversité, ces matériaux sont le support d'une gamme chromatique assez restreinte dont les dominantes sont : les ocres avec la brique, la tuile, certains mortiers et les constructions de terre séchée ; les bruns chauds et les gris colorés avec les matériaux végétaux ; les gris colorés avec le schiste et le granit ; et les tonalités claires avec la pierre calcaire et le mortier de chaux ou de plâtre.
Ce registre de couleurs fournit des éléments dont il est important de tenir compte lors de l'entretien de cet habitat ancien et de l'édification de constructions nouvelles avoisinantes. On pourra ainsi, selon les cas, préserver la relation intime de l'architecture à son environnement, telle que nous l'a léguée l'histoire, ou au contraire créer une coloration contrastée, conçue en pleine connaissance des données chromatiques du site.

44

45

46

47

48
 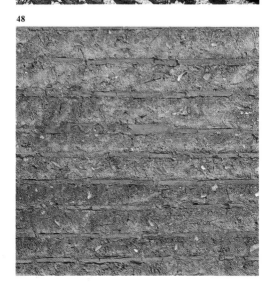

44 Moellons calcaires noyés dans un mortier de terre ocre rouge, à Roussillon, dans le Vaucluse.

45 Damier de pierres calcaires et de silex sur une église du Vexin.

46 Galets de rivières, disposés en épis et séparés par un bandeau de briques.

47 Mur composite de pierres calcaires, briques et silex, près d'Etretat, en Normandie.

48 Mur composite de briques plates et de mortier, à Montluel, dans la région lyonnaise.

L'habitat traditionnel
Palette ponctuelle

49

La palette générale n'est pas suffisante pour rendre compte de la qualité chromatique d'une maison ou d'un ensemble d'habitations. La couleur des toits et des murs représente la coloration dominante d'une architecture, mais elle est complétée, et souvent fortement influencée, par des éléments de détail tels que portes, volets, soubassements, encadrements..., qui viennent *ponctuer* l'ensemble de leurs taches colorées. Ces couleurs d'accompagnement constituent la *palette ponctuelle.*
Elle est généralement composée de couleurs en contraste avec la palette générale, soit en valeur, soit en tonalité. Les contrastes sont parfois affirmés, surtout sur les menuiseries. Ces surfaces colorées sont proportionnellement de petite taille ; elles constituent avec la palette générale un rapport quantitatif et qualitatif d'une grande importance pour l'animation des édifices.
Les éléments de la palette ponctuelle répondent souvent à des impératifs techniques, tels les soubassements des maisons à pans de bois destinés à protéger les murs de l'humidité. Ils peuvent aussi être des éléments de décor destinés à mettre en valeur une architecture : chaînes de pierres sur un mur de brique, ou volets peints de couleur vive...
Selon les cas, ils sont laissés naturels, leur couleur étant alors celle des matériaux d'origine, ou sont revêtus d'un matériau protecteur tel qu'enduit, vernis, peinture ou badigeon.

49 *Villa des Druides*, datant de l'époque 1900, à Saint-Quay-Portrieux, dans les Côtes-du-Nord. Grilles, balcons, volets, porte, fenêtres, encadrements, chaînes et souches de cheminées sont autant d'éléments qui, dans leurs proportions, leurs matières et leurs couleurs, contribuent à l'animation structurelle et colorée de l'habitation.

50

50 Sur cette façade du début du siècle à Auray, dans le Morbihan, le bleu éclatant des volets rappelle le goût particulier des Bretons pour le bleu vif ; ils s'inspirent sans doute de l'intensité contrastée des ciels de Bretagne. Les panneaux et les encadrements qui se détachent en teinte sombre sur le fond blanc participent au décor de la façade et contribuent à son écriture très affirmée.

51

52

53

Les matériaux de construction des éléments de détail

Les matériaux utilisés pour les éléments de détail sont réalisés soit en maçonnerie, soit en menuiserie. Ils présentent par conséquent, en fonction de leur nature, les caractéristiques chromatiques traitées dans le chapitre précédent.

On utilise la pierre pour les *seuils* et les *appuis de fenêtres*, lesquels peuvent également être constitués par un appareil de brique.

Les *chaînes* destinées à soutenir un mur de médiocre résistance aux angles et en façade sont généralement de même matériau que les jambages : moellons, pierres de taille ou briques selon les régions.

Ainsi, dans la région de Senonches (Eure-et-Loir), les murs de silex sont ponctués de jambages et de chaînes d'angles en brique.

Dans les Vosges, encadrements et chaînes sont en grès rose ou en granit...

Ces matériaux, ne nécessitant pas de protection, sont laissés apparents même lorsque le mur est crépi. Ils jouent un rôle d'animation visuelle de la façade en soulignant les ouvertures et en mettant en valeur la tonalité dominante du mur.

Les *linteaux* ont également une grande importance, tant sur le plan technique – car ils supportent une lourde charge de maçonnerie – que sur le plan esthétique. Réalisés en bois, en briques, en pierres appareillées, ou avec une seule dalle de pierre dure (granit ou calcaire), ils sont rarement constitués des mêmes matériaux que le reste de la maison. Restant apparents, ils suscitent un effet de contraste avec la couleur du mur. Les encadrements sont parfois constitués de

51 La peinture blanche, dont sont recouverts certains éléments de maçonnerie ainsi que les menuiseries des ouvertures, a sur cette façade de Saint-Quentin une importance quantitative qui rivalise avec celle de la brique, elle-même rajeunie par un revêtement de peinture à base d'oxyde rouge.

52 La manière décorative dont est traité le crépi de cette maison de Curtomer (Normandie) apporte une animation graphique de grande qualité.

53 Une seule tonalité, le vert des volets et du soubassement, constitue l'accent tonique qui ponctue de sa couleur saturée le blanc de cette façade.

54

54 Le contraste de couleurs complémentaires ocre rouge de la façade et vert des volets est subtilement atténué par l'ocre jaune des encadrements (Nice).

55

56

pièces de bois, notamment ceux des maisons rurales en pisé et à colombage, mais, lorsque la maçonnerie est enduite, le linteau de bois, souvent surmonté par un arc de décharge en pierre ou en brique, disparaît sous le revêtement.

Les *souches de cheminées* sont d'une matière très souvent identique à celle des murs et, quand les murs sont enduits, elles le sont également. Leur palette chromatique, s'apparentant étroitement à celle des murs, ne présente donc pas un apport particulier sur ce plan précis. On observe cependant quelques variantes : en Ile-de-France, par exemple, la souche est en brique tandis que le mur pignon est en moellons jointoyés au plâtre ; dans les Charentes et les pays de la Loire, la souche peut combiner des assises de briques et de pierres blanches.

Bien qu'elles ne présentent pas, en général, un intérêt chromatique spécifique, ces souches ont, du fait de leur hauteur ou, au contraire, de leur forme trapue et massive, une importance visuelle très grande sur l'ensemble du paysage construit.

Les *soubassements* de maçonnerie servent à protéger de l'humidité les murs de pierre tendre, de pisé ou à pans de bois. Dans les Alpes, les soubassements sont faits de pierres brutes jointoyées au mortier de chaux ; en Alsace, ils sont en grès rose ou rouge ; en Normandie, ils rassemblent tous les matériaux disponibles localement : moellons ou pierres de taille calcaires, galets ou silex éclatés, grès ou briques...

Dans les chalets savoyards et les maisons normandes, le soubassement peut atteindre la hauteur d'un rez-de-chaussée. L'impact chromatique de l'appareillage sur la

55 La valeur des éléments ponctuels d'une façade atténue ou, au contraire, accentue leur importance visuelle. Ici le brun foncé augmente l'effet de trou de l'entrée, tandis que le blanc des volets se confond avec la tonalité très claire de l'enduit.

56 Si, dans bien des cas, le contraste de valeurs est un langage suffisamment riche pour exprimer les couleurs des éléments ponctuels de l'architecture, dans d'autres cas, cette palette ponctuelle peut faire appel à des contrastes de tonalités vives et saturées. Ici intervient le rapport quantitatif dont l'équilibre doit être défini avec clairvoyance pour éviter que la couleur ne devienne une nuisance pour le paysage.

57

polychromie générale est, par conséquent, très grand.
En Vendée et dans les Flandres, le soubassement est protégé par une couche de goudron et sa couleur noire contraste avec la tonalité blanche des murs passés au lait de chaux.
Portes, fenêtres et volets sont traditionnellement en bois, mais les menuiseries que l'on peut voir aujourd'hui sont rarement contemporaines de la construction, à l'exception de certaines portes d'entrée en chêne, bois particulièrement résistant, qui datent du XVIIe ou XVIIIe siècle. Tandis que les portes, pleines ou vitrées (à partir du XIXe siècle), présentent de nombreux types régionaux, les volets sont plus uniformes. Dans le Midi de la France, ils sont composés de deux épaisseurs de planches rainées, posées en sens contraire, suivant un procédé datant de l'Antiquité, et, dans la plupart des autres régions, d'une seule épaisseur de planches liées par des traverses horizontales, au nombre de deux ou trois. Parfois laissées naturelles, les menuiseries prennent en se patinant une teinte grisâtre. Mais elles sont généralement peintes pour protéger le bois contre les agents atmosphériques.
Leur couleur n'est plus celle du matériau support, mais celle du matériau de revêtement et l'on constate qu'un certain nombre de régions manifestent, dans la peinture de leurs menuiseries, un respect traditionnel pour des couleurs bien déterminées : le vert en Alsace et en Picardie, le rouge et le vert au Pays basque, le gris dans les pays de la Loire...

57 Il suffit d'une tache de couleur contrastante dans cet austère paysage du Limousin pour animer la palette de cette habitation. Le bleu azur des menuiseries fait un contraste froid-chaud avec l'enduit ocré qu'il réveille par son accent tonique.

Couleur et peinture

S'il est de tradition de recouvrir les menuiseries d'une peinture destinée à les protéger contre l'humidité, les insectes et les champignons, on constate aujourd'hui que la peinture prend dans l'habitat une place de plus en plus importante. L'utilisation en maçonnerie de matériaux de construction nouveaux, tels que ciment, fibrociment, béton banché ou cellulaire, nécessite, en effet, l'application sur les murs d'un revêtement capable de renforcer leur solidité, de combler les trous et de permettre une bonne résistance à l'humidité. Le bâtisseur dispose à présent de peintures très élaborées sur le plan technique et d'un choix considérable sur le plan des couleurs. En fonction du support, de l'effet recherché et de la nature du produit, ces peintures sont appliquées suivant des systèmes de mise en œuvre très divers.

La couleur dans l'architecture

La peinture n'est pas uniquement *protection*, elle est aussi, et essentiellement, *couleur*. Et, par le truchement de la peinture, la couleur est un moyen d'expression accessible à tous. Les habitants d'une maison peignent les murs pour embellir un support qu'ils jugent défectueux, ils couvrent leurs portes et leurs volets de couleurs vives pour animer la façade et, s'ils ne se sentent pas l'âme d'un décorateur, ils cherchent tout simplement à « faire propre ».
On peut constater à ce sujet la confusion entre beauté et propreté dans l'esprit de bien des gens qui, à la subtilité chromatique d'un matériau patiné par les intempéries, préfèrent l'éclat d'une peinture neuve dont les couleurs sont en dissonance avec la qualité visuelle de l'environnement.

58

Langage visuel d'une incomparable variété, la peinture est employée dans tous les pays du monde pour mettre en valeur l'architecture. Les quelques exemples présentés ici ont été recueillis sur trois continents, et pourraient constituer le point de départ de nombreuses études sur l'origine et la signification socioculturelle de l'utilisation de la couleur.

58 San Francisco, Etats-Unis

Le blanc est la couleur hygiénique par excellence. Son utilisation, primitivement sous forme de lait de chaux, après avoir été longtemps limitée à quelques régions comme les Flandres, les côtes de Bretagne ou la Camargue, intervient aujourd'hui systématiquement dans la construction pavillonnaire, au mépris des couleurs dominantes de l'habitat local.
La peinture présente pour les usagers l'avantage appréciable de permettre un renouvellement assez fréquent des couleurs, de « faire peau neuve », tout en sauvegardant l'unité visuelle du site.
Expression privilégiée *de l'affectivité de chacun*, la couleur dans l'habitat reflète aussi un certain code social, en fonction duquel les Français hésitent à peindre leurs volets en noir ou en violet parce que ce sont les couleurs traditionnelles du deuil. Ce code varie d'ailleurs avec les pays, puisque, au Japon par exemple, le violet est la couleur impériale.
La couleur est parfois le signe de l'appartenance à un groupe social déterminé. Au Brésil, dans les quartiers populaires, certains habitants peignent leur maison aux couleurs de l'école de samba à laquelle ils appartiennent : vert et rose pour l'école Mangueira, bleu et blanc pour l'école Beija Flor, ou encore bleu, blanc, rouge pour l'école Uniao da Ilna.
En Italie, c'est une décision politique de Napoléon Ier qui, en 1808, a imposé la création d'un schéma directeur d'application des couleurs pour la ville de Turin. « Au sein de cette tentative fiévreuse de réforme urbaine, la couleur joua un rôle de grande importance. Le Conseil des édiles l'utilisa comme l'instrument le plus efficace, économique et rapide, pour créer l'harmonie entre les différents éléments de l'architecture et une continuité au sein de la discontinuité urbaine » (1).
La couleur est le *reflet d'un code social*. Elle a pu être un moyen de s'élever dans l'échelle sociale. Dans les pays nordiques, les maisons de bois étaient peintes en rouge, s'identifiant ainsi par la couleur aux maisons de brique de la classe aisée. Si elle est parfois un moyen d'identification, la couleur est souvent ressentie à l'inverse comme la possibilité d'une certaine personnalisation de l'habitat. C'est particulièrement le cas en France.
La couleur a, en outre, joué dans l'histoire. des hommes un *rôle symbolique* d'une importance capitale. Dès l'époque

(1) Giovanni Brino, Franco Rosso, *Colore et Citta. Il Piano del colore di Torino 1800-1850*, Assessorato alla Edilizia del Comune di Torino e Idea Editions.

59

60

59 Eureka Springs, Arkansas, Etats-Unis

60 Aspen, Colorado, Etats-Unis

61

préhistorique, l'homme, cherchant à dominer un monde dans lequel il ne se sentait pas en sécurité, pensa trouver dans la représentation de bêtes telles que rennes et bisons le moyen d'acquérir un pouvoir magique sur les animaux qui l'effrayaient, mais dont il avait néanmoins besoin pour se nourrir et se vêtir. Plus ces images étaient réalistes, plus leur pouvoir était grand. Et c'est certainement pour ajouter à leur réalisme qu'elles furent colorées à l'aide de pigments minéraux (ocre jaune, ocre rouge, brun, vert et gris) ou végétaux (jus de fruits et de plantes), le rouge étant plus particulièrement associé aux rites funéraires.

Dans l'Egypte ancienne, la peinture murale fut couramment pratiquée sous les IIIe et IVe dynasties. Comme toutes les autres formes d'art, la couleur était étroitement liée à la

62

religion et son emploi était fixé par des prescriptions rituelles : le rouge symbolisait l'amour et le feu ; le vert, l'espérance ; le bleu, la sagesse et le ciel.

On retrouve les mêmes symboles dans les civilisations grecque et romaine. En Grèce, Zeus portait un manteau bleu ou rouge. L'entablement des temples, qui servait de toile de fond aux statues, était peint en rouge ou en bleu. La pourpre devint le symbole de la dignité impériale.

Dans la Bible, Dieu donne à Moïse les prescriptions suivantes, relatives à la construction du sanctuaire : « La porte du parvis sera constituée par un rideau de vingt coudées, fait de pourpre violette et écarlate, de cramoisi et de fin lin retors » (L'Exode, 27).

La religion chrétienne utilise aussi tout un symbolisme de la couleur : le bleu est la couleur du ciel ; le vert évoque l'espérance ; le rouge, le sang et l'amour divin ; tandis que le blanc, le noir et le violet sont les symboles respectifs de pureté, de deuil et de pénitence.

Si le symbolisme religieux des couleurs a largement disparu de notre civilisation, du moins en architecture, un certain nombre de teintes continuent cependant à avoir valeur de signe comme le violet (qui, bien que faisant partie des couleurs à la mode dans le domaine vestimentaire, n'a pas encore droit de cité dans une polychromie de façades), ou de signal comme le rouge qui signifie l'arrêt, le danger, l'interdiction... On remarque aussi l'influence du drapeau national sur l'utilisation populaire de la couleur.

Mais, à l'inverse de certains pays du Nord de l'Europe, tels que le Danemark, les Pays-Bas ou la Norvège, la France n'a pas une tradition ancienne d'utilisation de la couleur dans son architecture, tradition issue de la nécessité de protéger des murs qui étaient généralement en bois. L'habitant se trouve alors très démuni lorsqu'il lui faut choisir pour sa maison une ou plusieurs couleurs dans les vastes gammes proposées aujourd'hui par les industries de peinture.

Les pigments

A la fois protection et moyen d'expression, la peinture est aujourd'hui, grâce aux progrès techniques accomplis depuis ces dernières années en ce domaine, un matériau dont les possibilités chromatiques sont exceptionnelles.

La peinture tire sa couleur des pigments qui entrent dans sa composition, avec les liants et les diluants.

Les pigments sont des corps blancs ou colorés, broyés en particules très fines et dispersés au sein de résines dans lesquelles ils sont insolubles. Grâce à leur indice de

61 Porvoo, Finlande

62 Kyoto, Japon

63

64

réfraction supérieur à celui du milieu liquide de dispersion, les particules pigmentaires réfléchissent ou absorbent, au moins partiellement, la lumière incidente, d'où la couleur et l'opacité de la peinture ainsi constituée.

La forme des particules et leur grosseur ont une certaine importance car elles influent sur le pouvoir colorant et opacifiant des pigments : l'objet paraît très coloré lorsque les particules sont grosses, et plus clair lorsqu'elles sont petites car il y a alors davantage de surfaces réfléchissantes.

Avec l'apparition, au cours des dernières décennies, des *pigments métalliques*, tels que les poudres d'aluminium et de zinc, et surtout des *matières colorantes organiques* fabriquées à partir des goudrons de houille, le nombre de couleurs disponibles à présent en peinture

63 Arachos, Péloponnèse, Grèce

64 Amazonie, Brésil

65

66

67

est incalculable et le problème n'est plus celui de la limitation mais celui de la sélection.
Les matières colorantes organiques offrent un large éventail de tonalités généralement vives, parmi les laques d'une part, et les pigments d'autre part – pigments neutres et toners – dont le pouvoir colorant et opacifiant est supérieur à celui des laques. Parmi les divers pigments organiques entrant dans la composition des peintures en bâtiment, les phtalocyanines et les pigments azoïques sont les plus utilisés.
Tandis que les diverses phtalocyanines (de cuivre, de cuivre chloré, de cuivre sulfoné, ou sans métal), pigments d'une solidité et d'une stabilité remarquables, se cantonnent dans les bleus et les verts, les pigments azoïques proposent, au contraire, en fonction de leur composition chimique, des tonalités aussi nombreuses que variées (1).

(1) Les jaunes des pigments azoïques des acétylacétarylides, aux nuances verdâtres, rougeâtres ou orangées ;
– les jaunes, orangés et rouges des pigments azoïques des pyrazolones ;
– les rouges et les orangés des laques et des pigments azoïques du β naphtol ;
– les rouges des pigments azoïques dérivés de l'acide β oxynaphtoïque ;
– les rouges et les violets des pigments azoïques des β oxynaphtarylydes ;
– les rouges, les orangés et les bordeaux des azoïques des acides naphtolsulfoniques.

65 Copenhague, Danemark

66 Salvador, Brésil

67 Singapour

68

Les *pigments minéraux*, dont l'utilisation remonte à la préhistoire, conservent aujourd'hui encore une place privilégiée dans l'industrie des peintures en bâtiment. Ils comprennent en particulier la quasi-totalité des pigments noirs, qui sont surtout des noirs de carbone, et la totalité des pigments blancs : oxyde de zinc (ou blanc de zinc, connu depuis l'Antiquité), oxyde de titane, lithopone, et presque tous les pigments dits « charges », fabriqués à partir de minéraux naturels communs tels que la craie ou la céruse (dont l'usage est interdit depuis 1915).
Les pigments minéraux de couleur les plus utilisés sont les oxydes de fer, les chromates de zinc et les chromates de plomb (ou jaune de chrome), le bleu de Prusse (cyanure de fer) qui, mélangé avec le jaune de chrome, donne naissance aux verts anglais et aux verts de chrome purs dont les nuances sont innombrables, et le bleu outremer (mélange de kaolin, de soude et de soufre) qui permet d'obtenir une gamme très étendue de nuances dans les tonalités rougeâtres et verdâtres.
Les ocres occupent une place privilégiée dans l'histoire de la peinture. Utilisés depuis la nuit des temps, ils sont encore très prisés dans l'industrie du bâtiment du fait de leur résistance à la lumière et à la chaleur, de leur inertie chimique, de leur bon pouvoir couvrant et de leur faible prix de revient.
L'ocre jaune, dont les tonalités plus ou moins claires sont déterminées par la présence d'oxyde de fer, est extraite, en carrière, de gisements dont les plus importants se trouvent en Bourgogne et dans le Vaucluse. Elle est séchée naturellement, puis broyée et tamisée à sec. La calcination du produit à plus de 250 °C provoque la déshydratation de l'hydroxyde ferrique, et l'on obtient l'ocre rouge dont la gamme s'étend jusqu'au noir en passant par les bruns.
Les terres de Sienne et les terres d'ombre sont des pigments de nature analogue à celle des ocres. Toutefois, la présence de manganèse donne aux terres de Sienne une tonalité plus jaune et plus chaude que celle des ocres, et aux terres d'ombre une tonalité brune. Après calcination, la terre de Sienne est d'un rouge-brun chaud, tandis que la terre d'ombre vire au brun foncé.
Les pigments naturels offrent une gamme étendue de tonalités dans laquelle l'usager pourra puiser sans craindre de commettre de graves erreurs, réservant au spécialiste un choix qui s'avère plus complexe dans la gamme des pigments modernes.

68 Burano, Italie

L'analyse de site

L'impermanence des couleurs

L'éclairement

Le vieillissement des matériaux
et leur renouvellement

Les éléments végétaux

Méthodologie

Contenu de la méthode

Première phase :

L'analyse du site :
- inventaire des données
- prélèvement des matériaux
- reproduction des couleurs
- relevé de l'échelle de luminosité des matériaux
- croquis coloré de situation
- prises de vue

Seconde phase :

La synthèse visuelle des constats chromatiques :
- classement des échantillons en :
  palette générale, palette ponctuelle
  palette des rapports qualitatifs et quantitatifs
  palette chromatique de l'ensemble
  des édifices, élément par élément
- tableau de synthèse

L'impermanence des couleurs

69

N'existant que par la lumière et grâce à elle, les couleurs qui nous entourent sont en perpétuelle transformation. La peinture impressionniste et néo-impressionniste en a fait jaillir toute la réalité plastique à partir de l'œuvre de Paul Cézanne, Claude Monet, Georges Seurat et bien d'autres.
En abordant cette partie sur les couleurs du paysage et de l'architecture en particulier, il faut préciser que tout paysage et toute architecture sont composés de *couleur permanentes* et de *couleurs impermanentes*.
Les couleurs que nous appelons permanentes sont les couleurs les plus stables, telles que les minéraux du sol et les matériaux de construction. Ces éléments ont un caractère visuel relativement durable et il est possible de les prélever pour les analyser objectivement.

Les couleurs impermanentes concernent tous les éléments changeants du paysage : éclairement, végétation, plans d'eau, ciel, et tout apport chromatique mouvant et aléatoire qui contribue à la vie d'un site. Dans la mesure de leur importance, ces données entrent en ligne de compte dans les études sur le terrain.
Les transformations que subit la palette des couleurs d'une habitation sont essentiellement dues à la succession des saisons, à la progression de la végétation, au vieillissement ou au renouvellement des matériaux, auxquels s'ajoutent les continuelles variations de l'éclairement.

L'éclairement
La lumière est à la base de la vision des couleurs, aussi l'aspect visuel de l'habitat change-t-il sous l'effet des variations de la lumière tout au long du jour : elle est plus bleue à midi, plus rouge le matin et le soir.
La lumière varie aussi avec les saisons, son intensité étant plus faible et sa couleur plus jaune et plus froide en hiver qu'en été.
Le climat et la latitude ont également une influence déterminante sur la densité et la qualité de la lumière, et par conséquent sur la perception des couleurs dans un lieu donné.
Dans le Midi, où l'air est chaud et sec, la lumière éclatante atténue l'effet des couleurs et les tonalités, si vives soient-elles, semblent mangées par le soleil. Il est frappant aussi de voir la métamorphose du paysage quand il est couvert de neige ; les maisons changent

70

69/70 Mises en parallèle, ces deux prises de vue du port de Bastia, en hiver et en été, montrent l'intervention aléatoire de la couleur dans le paysage. Au-dessus de l'entresol, les façades présentent une palette aux tonalités et aux valeurs peu contrastées ; ce sont la lumière et les ombres portées qui donnent aux couleurs leur caractère aléatoire. Au niveau piétonnier et sur le plan d'eau du port, l'animation estivale contribue à modifier de façon très sensible les couleurs de l'environnement ; aux teintes vives des bateaux, s'ajoutent les taches colorées des stores et des parasols qui égaient le paysage.

71

72

71/72 La palette de ce paysage des Contamines-Montjoie montre l'importance de l'environnement naturel : ciel, végétation et caractéristiques saisonnières. Les modifications chromatiques du paysage, sous l'influence des saisons, se font progressivement et peuvent passer inaperçues. La photographie permet de mettre en évidence les différences intervenues dans la palette. Aux tonalités saturées des prés et des arbres verdoyants, sous la lumière de l'été, succède la blancheur presque uniforme de la neige, sur laquelle se détachent les masses sombres du chalet et des sapins.

alors de visage chromatique : le toit, surface souvent prédominante, disparaît et les murs prennent une tout autre intensité visuelle, par contraste avec le fond d'un blanc éclatant. Après la pluie, l'atmosphère purifiée permet une vision plus nette des couleurs dans le lointain.
L'ombre joue également sur les volumes de l'architecture, ainsi que sur le relief et la texture des matériaux : toitures de tuiles, appareillages de pierres, enduits structurés... Les jeux d'ombre et de lumière y déterminent des contrastes de valeurs, au rythme des mouvements du soleil et de la course des nuages dans le ciel. L'ombre accentue la modénature de l'architecture, en particulier celle des portes et des fenêtres qui structurent la façade. La couleur des volets influe beaucoup sur l'effet de trous provoqué par les ouvertures : elle peut les agrandir, les maintenir ou les effacer selon que sa valeur est identique à celle du mur ou en contraste avec celle-ci. Dans l'architecture actuelle, souvent répétitive, ces taches ponctuelles prennent une valeur d'animation non négligeable.

Problème de l'orientation à la lumière des façades d'architecture
L'intérêt croissant pour la couleur dans l'architecture nouvelle pose la question d'une coloration particulière des façades en fonction des changements de lumière selon les heures de la journée, ainsi que le problème spécifique de l'exposition nord-sud. Nous avons pu constater, lors des analyses de site faites dans les différentes régions de France, que le choix des couleurs dans l'habitat n'avait jamais été défini en fonction de ces considérations. En effet, s'il est vrai que la face nord d'une habitation reste à l'ombre en période d'ensoleillement, sous un ciel gris toutes les façades se trouvent exposées à un éclairement uniforme et ont les mêmes caractéristiques chromatiques.

73

74

73/74 La lumière change en fonction des saisons, de la latitude et de l'heure de la journée.

Ces deux prises de vue, faites au mois de février dans le village de Roussillon (Vaucluse), à des heures différentes de la journée, montrent le changement brutal des couleurs entre le matin et le soir. En fin de journée, la lumière dorée accentue l'intensité ocrée des enduits à base d'oxyde de fer.

75

Le vieillissement des matériaux et leur renouvellement
Sous l'action du soleil et des intempéries, les matériaux se patinent et vieillissent progressivement.
Lorsqu'il n'est pas traité, le bois prend généralement au bout d'un an une tonalité grise dont la valeur varie suivant les espèces : l'orme devient gris clair ; le chêne vire au gris soutenu, parfois même au noir ; quant aux conifères, ils se colorent en peu de temps, à la montagne en gris argenté, et au bord de la mer en gris foncé. Cependant le bois employé pour le revêtement des murs est souvent traité en surface afin de le protéger des intempéries, ainsi que des parasites végétaux et animaux qui peuvent le détruire prématurément. L'attaque du bois par les champignons provoque un véritable changement de couleur : les résineux virent au bleu ou au gris foncé, puis au jaune, sous l'action de certains champignons superficiels ; quant à la mérule, après avoir jauni le bois, elle peut le détruire à la manière de la carbonisation.
Contrairement à l'ardoise qui, non poreuse et inaltérable, n'est guère attaquée par les agents atmosphériques, la terre cuite se patine au soleil, tuiles et briques se décolorant et prenant parfois des tonalités et des valeurs voisines de celles de la pierre.
Cette dernière résiste assez bien au froid et à l'humidité ; cependant le calcaire tendre et le grès quartzeux argilifère verdissent et peuvent geler, tandis que certains granits jaunâtres ont tendance à rouiller à cause de l'altération des particules d'oxyde de fer disséminées dans la masse.
Le renouvellement périodique des matériaux provoque des changements de couleurs qui modifient progressivement la physionomie de la palette existante, qu'il s'agisse du « rapiéçage » des toitures ou de la remise en état de la façade, usage qui, dans certaines régions, se pratique à intervalles réguliers. A Verquin, dans le Pas-de-Calais, tout un alignement de façades s'est trouvé transformé en trois ans. Les possibilités de changement que permet la peinture donnent parfois lieu à des innovations très inattendues, qui peuvent témoigner de la part des habitants d'un désir d'individualisme lié à un réel sens créatif.

76 A

76 B

75/76 A Sept années séparent ces deux ensembles de façades, rue Jean-Jaurès à Verquin, dans le Pas-de-Calais. L'impermanence de la couleur de l'architecture provient ici du rajeunissement des façades que les habitants repeignent régulièrement tous les deux ou trois ans. Il y a quelques années encore (photo prise le 18 octobre 1968), c'était l'oxyde rouge, couleur la plus proche de celle de la brique, qui était couramment employé. En 1975, cette tonalité saturée a été progressivement remplacée dans les corons par le blanc, symbole de propreté : c'est la conséquence directe de la fermeture des mines de charbon, qui, en supprimant la pollution atmosphérique, permet dorénavant l'emploi de revêtements de couleurs claires. Comme c'est le cas ici, l'évolution du comportement collectif dans le choix des couleurs est parfois provoquée par des mutations d'ordre économique. Des facteurs socioculturels peuvent être aussi à l'origine de tels changements.

76 B Nouvelle prise de vue sur la même rue Jean-Jaurès à Verquin, en juin 1989. Vingt années séparent donc les deux photos. Depuis 1975, la maison située à gauche a été démolie pour être remplacée par un nouvel édifice. Mais peu de couleurs ont été modifiées en quatorze ans. En partant de la droite, la deuxième façade a remplacé sa parure blanche et grise par un camaïeu de tonalités crème et la troisième maison a accentué le contraste de ses encadrements et soubassements. Devant la porte, la bicyclette attend toujours tranquillement son maître !

77

78

Les éléments végétaux

A l'exception des paysages urbains dont l'aspect est le plus souvent minéral, l'architecture intégrée à l'environnement naturel est très liée aux éléments végétaux qui l'entourent. Par leurs couleurs et leurs volumes, ceux-ci sont un complément très important de l'organisation de l'espace. Ces masses végétales contrastent avec les édifices par l'aspect structurel et mouvant de leurs feuillages, et par la sinuosité des lignes qu'elles dessinent.

Bien que les essences botaniques soient très diverses, la campagne présente le plus souvent une gamme de verts assez limitée. La végétation a la particularité d'être relativement sombre, car le feuillage mobile est facteur d'ombres. Pour cette raison, il est assez difficile d'analyser de façon précise la tonalité d'un feuillage, car, aussi fidèle soit-elle, la reproduction des pigments d'une feuille en échantillon ne rend pas l'aspect structurel véritable de ses verts très animés.

Le végétal peut aussi constituer un véritable revêtement de la façade et, de ce fait, influer considérablement sur la palette chromatique des murs. Celle-ci varie alors au gré des saisons avec, au printemps, la poussée verdoyante des feuilles et l'éclosion des fleurs, et, en automne, le jaunissement ou le rougeoiement des feuillages, puis leur chute qui rend enfin au mur, sous le treillage et l'enchevêtrement des branches, son visage chromatique originel.

Suivant les régions, on rencontre tel ou tel type de végétation. En Provence, la treille, destinée à protéger la façade sud des rayons du soleil, est constituée par une vigne vierge, une glycine aux fleurs violettes ou encore une vigne aux raisins dorés. En Touraine et en

79

77 La vigne vierge transforme le visage chromatique de ces façades de Candé-sur-Beuvron, dans le Loir-et-Cher.

78 Nombreuses sont les provinces françaises dont les habitants aiment fleurir les balcons de leurs maisons. La décoration florale des habitations bretonnes et alsaciennes est particulièrement réputée. Ici, nous sommes à Saumur, sur les bords de la Loire.

79 La qualité de la lumière est un facteur important de l'animation colorée de l'architecture. L'ombre portée de la treille se dessine sur le mur de valeur claire.

80

81

80 Couleurs d'automne sur cette vigne vierge, près de Nice.

81 Cette façade d'une habitation de la fin du XIXe siècle à Semur-en-Auxois, en Bourgogne, est entièrement couverte de vigne vierge. Le blanc des menuiseries crée un contraste clair-obscur qui fait ressortir la valeur sombre de la végétation.

82

83

84

Ile-de-France, les murs sont embellis par les rosiers grimpants. Ailleurs, ce sont les clématites, les chèvrefeuilles ou encore quelques arbres fruitiers taillés en espalier qui animent de leurs couleurs fraîches la façade des maisons rurales.
La palette chromatique d'une habitation se modifie aussi, insensiblement, sous l'action de la végétation parasite se développant sur les toits et sur les murs. Mousses et lichens colorent en particulier les tuiles poreuses, certaines pierres gélives et le fibrociment de leurs tonalités brunâtres ou verdâtres.
Conséquence visuelle de l'utilisation de divers matériaux aux caractères chromatiques spécifiques, la couleur dans l'habitat ne cesse d'évoluer sous l'influence des multiples facteurs précédemment énumérés : vieillissement et renouvellement des matériaux, application de peintures ou d'enduits nouveaux, croissance d'une végétation aux tonalités rythmées par les saisons, et surtout variations continuelles de l'éclairement tant sur le plan quantitatif que qualitatif.

« Matière première indispensable à la vie », selon la définition de Fernand Léger, la couleur dans l'habitat doit être appréhendée comme un phénomène vivant.

82/83/84 L'étroite complémentarité – souvent présente – entre la végétation et l'habitat se traduit au niveau de la couleur par une transformation constante de la palette architecturale. Cette fenêtre d'une maison de Montchauvet, dans la région parisienne, est transformée par le changement de son encadrement de vigne vierge, au rythme des saisons. L'élément végétal est l'un des facteurs les plus importants de l'impermanence des couleurs dans le paysage.

85

86

87

88

85 Le Vaudreuil, en Normandie. Mousses et lichens se développent avec prédilection dans les régions humides et colorent en particulier les surfaces architecturales exposées au nord.

86 Apchon, dans le Cantal. La végétation parasite que constituent les mousses et les lichens contribue à modifier l'aspect chromatique initial des matériaux.
Comme la patine transforme les couleurs et les matières, la végétation parasite change le visage des matériaux et donne la mesure du temps qui passe.

87 Brique toulousaine, à Lisle-sur-Tarn, dans le Tarn.

88 Murs de briques peintes, à Verquin, dans le Pas-de-Calais.

Méthodologie

Respecter le site, éviter la pollution visuelle devraient figurer parmi les préoccupations majeures de tous ceux qui agissent sur le paysage et l'environnement.
Pour éclairer ces bonnes intentions, il est utile de rappeler que la couleur est un élément essentiel à prendre en considération, afin de préserver une qualité d'ensemble qui se fait de plus en plus rare.

89

89 Le village de Bonnieux (Vaucluse), vu du château de Lacoste, se présente ici dans sa perception globale. La tonalité minérale dominante est celle des enduits de mortier dont la gamme se situe dans des gris chauds de valeur claire, créant un contraste clair-obscur avec la tonalité sombre de la végétation.

90

Il suffit de traverser un département pour constater qu'il y a maintenant peu de paysages – et encore moins d'ensembles d'habitations – qui ne soient gâchés par la présence de constructions inadaptées au site et par l'intrusion grossière d'éléments surajoutés sans discernement. Combien d'admirables exemples d'architecture avons-nous dû rejeter lors de notre étude, à cause de matériaux mal appropriés, de poteaux électriques, de câbles téléphoniques, d'enseignes et de publicités agressives, dont la présence aujourd'hui est devenue tellement courante que personne n'en voit plus la laideur.
Cependant, préserver la richesse du patrimoine ou créer l'harmonie d'un paysage nouveau, pour le bien collectif, ne concernent pas seulement les pouvoirs publics, mais aussi chacun de nous en particulier.
Lors des études effectuées en Europe, on a pu constater que les pays situés au nord de la France témoignent d'une particulière préoccupation pour le respect des sites et des paysages.
Il est vrai que définir les couleurs de matériaux destinés à la rénovation, ou concevoir un parti chromatique global pour la construction nouvelle, constitue un problème souvent difficile à résoudre, tant par les spécialistes que par les profanes.
Notre objectif est de proposer des éléments méthodologiques pouvant aider à trouver des solutions, non pas fondées sur la seule intuition ou sur une approche subjective des phénomènes, mais sur une connaissance globale des données de base du paysage, constituées d'éléments permanents et d'éléments impermanents.
Dans ce livre, l'inventaire des dominantes chromatiques d'une quinzaine de régions vient illustrer la *méthode d'analyse* originale, mise au point lors des recherches effectuées en France, à partir de 1966, dans le cadre de la Société des Peintures Gauthier IPA, puis avec le groupe Urbame et, à partir de 1978, avec l'équipe de l'Atelier 3 D Couleur. Le Color Planning Center de Tokyo fut le premier organisme à reconnaître l'efficacité de cette méthode et fit la commande, en 1970, d'une étude sur la ville de Tokyo. Les conclusions de cette enquête ont été publiées par Marc Emery dans *L'Architecture d'aujourd'hui* (1).
Les résultats de ces investigations, qui se traduisent aujourd'hui par des applications diverses (urbanisme, villes nouvelles, complexes industriels, ensembles de réhabilitation...), ont été rassemblés, en 1977, sous le titre « Géographie de la couleur », dans l'exposition que présenta le Centre de création industrielle, au Centre Georges-Pompidou, à l'initiative de François Barré et sous la responsabilité de Gilles de Bure.

(1) « L'homme et son territoire », *L'Architecture d'aujourd'hui*, n° 164, octobre 1972.

90 En s'approchant de Bonnieux, la perception globale se précise. Au gris beige des enduits s'ajoute la tonalité rose des tuiles romaines. Deux nuances de valeurs voisines composent par conséquent la palette générale. Les relations proportionnelles des couleurs entre elles, l'orientation à la lumière des volumes architecturaux, le jeu des ombres portées qui accentuent la rythmique architecturale sont autant d'éléments qui donnent aux couleurs de base une richesse chromatique particulièrement vivante.

91

91 La perception élémentaire de ces toitures de tuiles romaines laisse apparaître les matériaux dans toute la richesse de leurs matières et de leurs tonalités.

92

Contenu de la méthode
C'est l'étude réalisée, en 1976, sur le village de Bonnieux dans le Vaucluse qui sert ici d'illustration à la méthode.
L'analyse de site se déroule en deux phases :
- analyse du site concerné ;
- synthèse visuelle des constats chromatiques.

Première phase :
L'analyse du site

Inventaire des données
Cette étude, axée sur la couleur, prend en compte tous les éléments qui contribuent à la qualité chromatique d'une construction ou d'un ensemble architectural, de quelque importance qu'il soit.
Par un inventaire méticuleux de l'ensemble des données, il s'agit d'abord de mettre en évidence les dominantes et les particularités chromatiques d'un ou de plusieurs édifices dans leur contexte global.
A ce stade intervient la notion de *perception globale* et de *perception élémentaire* qui a été précisée précédemment (voir « Le choix sur échantillon »). Une ville ou un village perçu à distance présente généralement une gamme chromatique homogène composée de quelques *tonalités dominantes*. Cette palette, qui se limite souvent à une ou deux couleurs, est loin d'être pauvre, car elle est agrémentée des *proportions des volumes*, de la *rythmique architecturale* et des *contrastes de valeurs* provoqués par le jeu subtil des ombres et de la lumière. En revanche, lorsque l'on entre dans l'espace urbain ou dans le village, la perception élémentaire révèle une plus grande diversité du vocabulaire des couleurs.
Comme c'est le cas dans toute œuvre picturale, les éléments colorés d'un édifice sont plus ou moins mis en valeur par les qualités chromatiques de l'environnement dans lequel ils s'inscrivent. Les exemples que propose ce livre prouvent que l'on peut trouver dans l'architecture tous les phénomènes de contrastes.

92 L'espace urbain, vu de l'intérieur, révèle l'ensemble des composants chromatiques qui apparaissent alors plus diversifiés dans leurs contrastes quantitatifs et qualitatifs.
Souvent dans les villages les façades crépies donnant sur la rue sont l'objet de ravalements plus fréquents que les façades arrière. La palette générale du village est donc différente, suivant qu'elle est perçue de l'intérieur ou de l'extérieur.

93

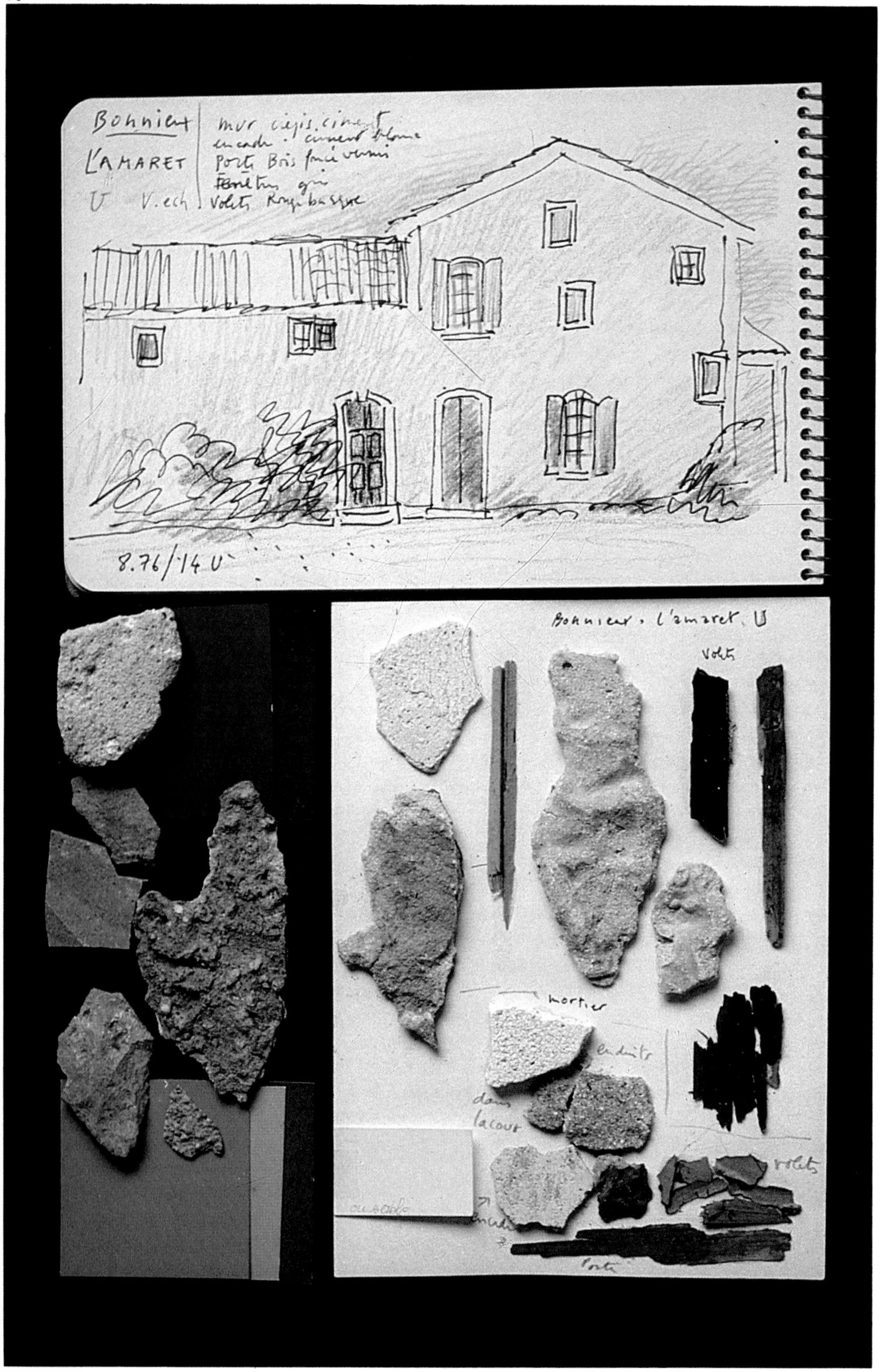

94

95

96

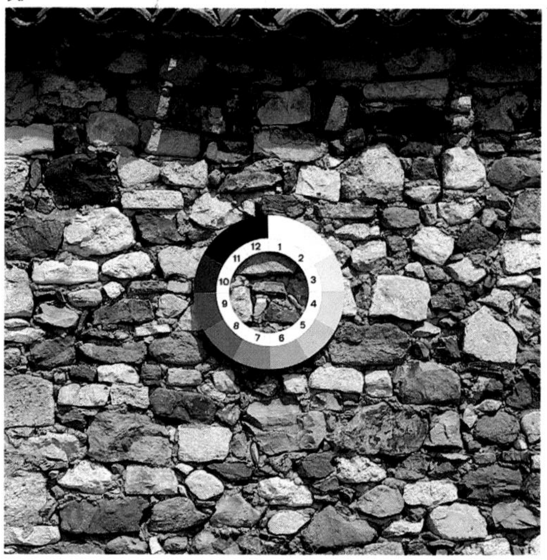

93 Prélèvement de matériaux. Chacune des habitations dont on a fait le relevé est rapidement esquissée sous forme de croquis coloré ; celui-ci accompagne l'indispensable prélèvement des matériaux, témoins authentiques des matières et des couleurs composant leur qualité chromatique.

Le prélèvement d'enduits et de peintures permet parfois d'analyser les couches de couleurs différentes superposées sur un même support.

94 Nuancier ou vocabulaire chromatique permettant de répertorier les matériaux qu'il n'est pas possible de prélever.
Cet exemple montre que, dans la plupart des cas, on ne peut reproduire les composants colorés d'un élément d'architecture à partir d'une couleur unique. On relève alors plusieurs tonalités, en précisant toutefois celle qui semble la plus proche de l'étalon primaire.

95/96 Echelle de luminosité des matériaux. Ces deux exemples d'échelles de clartés, linéaire et circulaire, indiquent la façon de procéder pour mesurer optiquement la valeur moyenne des éléments analysés.

Prélèvement des matériaux
Le cheminement de l'enquête tend à éviter, autant que possible, une appréhension subjective des phénomènes. Afin de se fonder essentiellement sur les données objectives que fournissent l'architecture et son environnement, on procède à un examen minutieux du site en prélevant sur le terrain des échantillons des divers matériaux entrant dans la composition du sol, des murs, des toits, des portes et des volets... auxquels seront joints des prélèvements de feuillages, de mousses et de lichens – éléments impermanents –, et on note les apports aléatoires qui influent sur la physionomie chromatique de la construction.
D'une importance capitale dans cette méthode, les prélèvements constituent les témoins originaux des couleurs et des matières des matériaux locaux. Ces fragments peuvent paraître insignifiants dans leur contexte initial, mais prennent un grand intérêt au moment du regroupement des documents et de la reconstitution des informations chromatiques dont l'assemblage est la base des résultats de synthèse.

Reproduction des couleurs
Lorsque ce prélèvement est impossible à effectuer, on peut répertorier la tonalité soit à l'aide de nuanciers de couleurs, soit en reproduisant la tonalité par un contretype en peinture.

Relevé de l'échelle de luminosité des matériaux
Composée d'une gradation régulière de dix gris neutres situés entre le blanc et le noir, une échelle de clarté, linéaire ou circulaire, permet dans l'un ou l'autre cas de mesurer optiquement la valeur moyenne des tonalités des matériaux ou surfaces analysés.

Croquis coloré de situation
Le dessin est le moyen le plus efficace pour saisir rapidement un sujet et en faire la synthèse visuelle. Le crayon de couleur est l'instrument le plus pratique, car il dénombre clairement les teintes dont est composé un ensemble chromatique.

Prises de vue
Les photographies ne peuvent être utilisées pour la reproduction fidèle des couleurs sur une palette. Mais ce sont des documents iconographiques indispensables pour assurer la mémorisation, la visualisation et la diffusion des informations.
Le moyen le plus pratique pour mener l'enquête sur le terrain est de travailler à deux

97

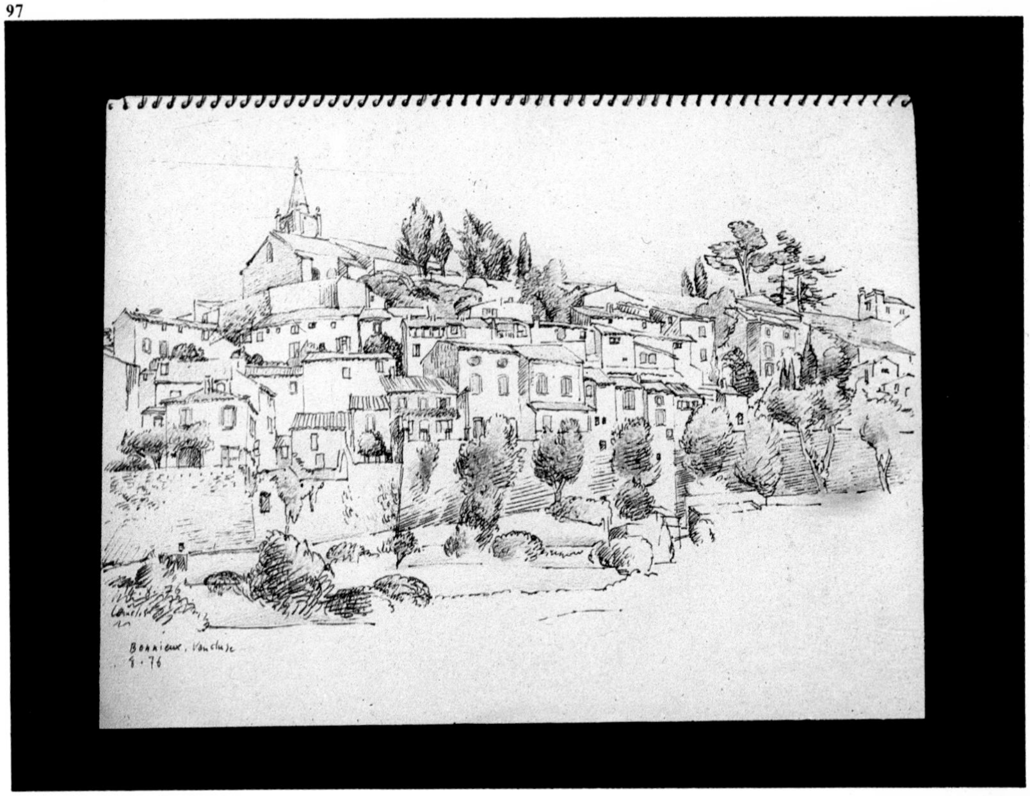

98

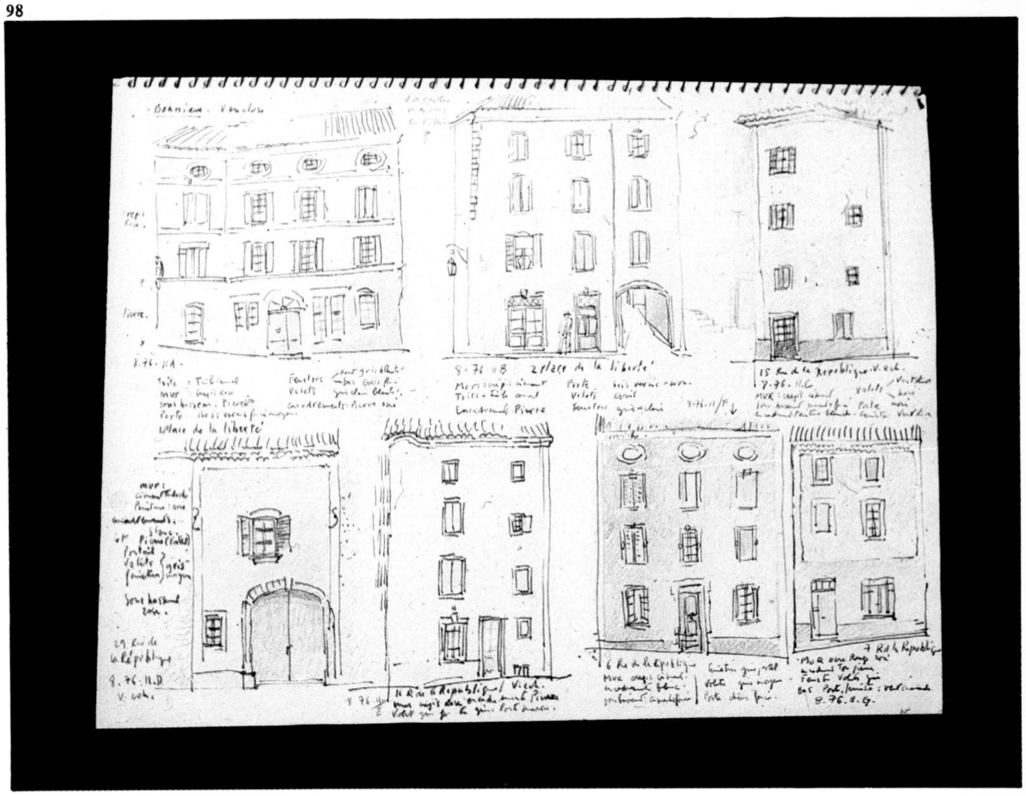

97 Plus synthétique que la photographie, le dessin est le moyen le plus efficace pour noter les caractéristiques principales d'un paysage ou d'une habitation.

98 Chaque habitation représentative est esquissée. Le crayon de couleur permet de relever de façon pratique le vocabulaire chromatique du bâtiment.

99

100

101

personnes : l'une s'occupe des dessins, relevés et prélèvements ; l'autre procède aux prises de vue photographique.

Seconde phase :
La synthèse visuelle des constats chromatiques

Les informations chromatiques recueillies sur le terrain sont ensuite réunies pour que l'on puisse en faire la synthèse. L'exécution de ce travail en atelier demande du temps et de la minutie. Il faut en effet procéder au dépouillement des prélèvements de matériaux, puis transposer ceux-ci en échantillons de couleurs reproduisant fidèlement les tonalités initiales.
Il est évident qu'en agissant de la sorte on prend un certain recul par rapport aux caractéristiques structurales du matériau et que l'on traduit de manière simplifiée ce qui fait l'esprit d'une couleur sur une surface donnée. On constate, par exemple, que si un bloc de granit ou un crépi ont un aspect structuré lorsqu'ils sont vus de près, leur relief disparaît avec l'éloignement et l'on perçoit alors le même matériau sous forme de tache colorée que l'on reproduit en à-plat. On observe également qu'un matériau, vu de près, est rarement monochrome. Un appareil de briques patinées par le temps regroupe en surface une infinité de nuances situées dans un même registre chromatique que l'on pourra difficilement rendre en à-plat. Il sera toutefois possible de donner l'esprit chromatique de ce matériau en faisant une composition de taches colorées ou en reproduisant la couleur dominante. Dans le premier cas, on recrée la vibration des couleurs ; dans le second, on la simplifie visuellement.

99 Reproduction simplifiée de tonalités de matériaux prélevés sur le terrain.

100 Prélèvement de douze couleurs de terre. Ces terres argileuses se composent chacune d'une seule tonalité brune ou grise. Cette couleur a été transposée fidèlement en échantillon. On peut mesurer la différence visuelle qui existe entre la granulométrie de la terre et le contretype en à-plat qui semble beaucoup plus clair. Chaque terre a été humidifiée dans sa partie basse. On constate que l'humidité assombrit la clarté initiale du matériau.

101 L'échantillon vert, photographié au milieu des feuilles de vigne, se confond aisément avec la tonalité environnante. Toutefois, il est traité en à-plat et ne peut reproduire l'effet chromatique exact d'un feuillage dans la nature, car les ombres portées assombrissent la couleur réelle de la feuille. La reproduction d'une matière structurée en à-plat doit tenir compte de ces données, en assombrissant la teinte initiale.

102

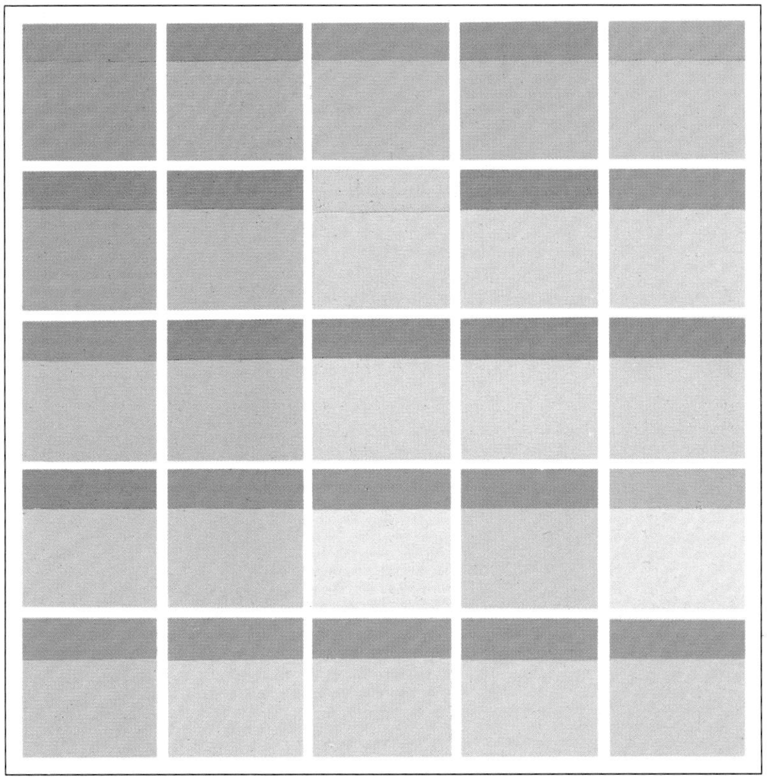

103

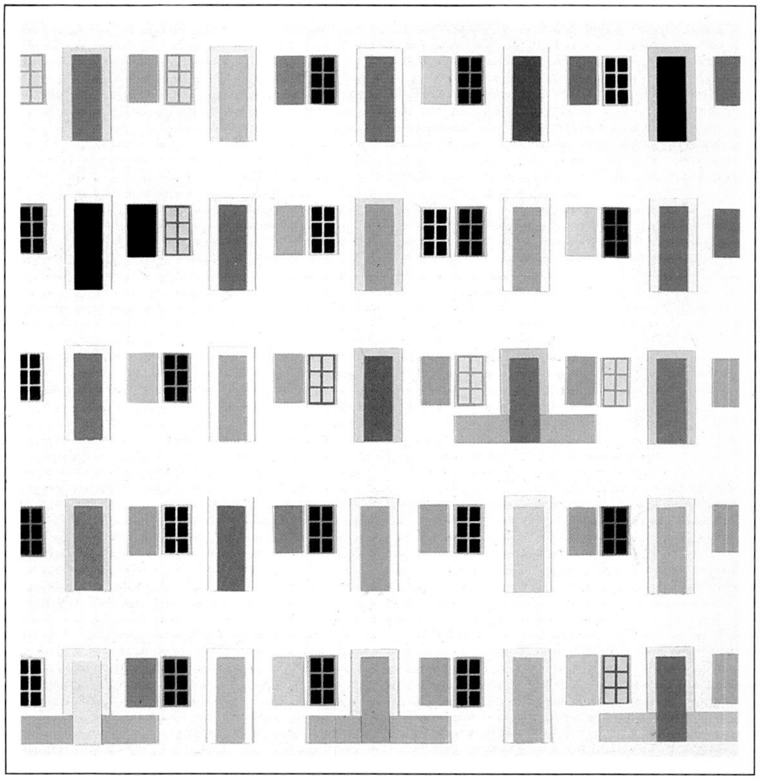

104

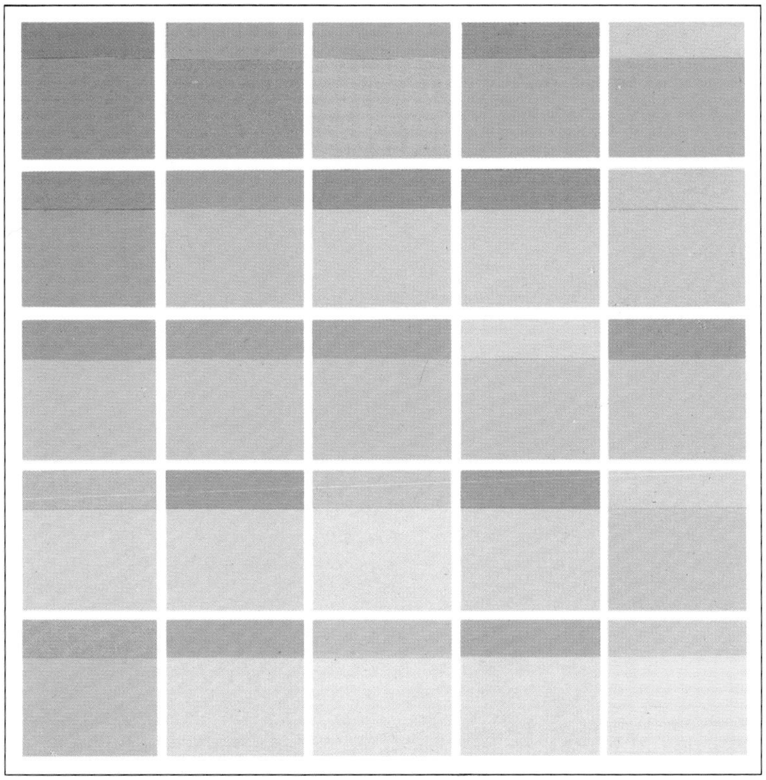

Classement des échantillons
Les échantillons ainsi obtenus sont alors classés en plusieurs groupes :

Premier groupe : palette générale et palette ponctuelle des éléments constitutifs de chacun des édifices
a) *Palette générale des façades vues de l'extérieur du village :* elle reproduit les couleurs des surfaces les plus importantes de l'édifice : façades et toitures.
b) *Palette générale des façades, à l'intérieur du village.*
c) *Palette ponctuelle :* elle reproduit les couleurs des éléments ponctuels tels que : portes, fenêtres, volets, encadrements, soubassements, etc.

Deuxième groupe : palette des rapports qualitatifs et quantitatifs
Les échantillons de même dimension composant l'inventaire des couleurs d'un édifice sont regroupés sur une palette unique ; ce procédé met en évidence les *rapports qualitatifs* des différentes tonalités entre elles. En outre, sur des échantillons dont les dimensions sont proportionnelles à la surface des éléments, on met en évidence les *rapports quantitatifs* de ces tonalités entre elles.

102 Palette générale des façades de Bonnieux, vues de l'extérieur du village. La bande horizontale située dans la partie supérieure de chacun des carrés représente la couleur du toit.

103 La palette ponctuelle des maisons qui se trouvent à l'intérieur du village présente le relevé des couleurs des portes, volets, fenêtres, encadrements et soubassements.

104 Palette générale des façades de Bonnieux, vues de l'intérieur du village.

105

Troisième groupe : palette chromatique de l'ensemble des édifices, élément par élément :
- toitures,
- façades,
- encadrements,
- soubassements,
- portes,
- fenêtres,
- volets...

Les palettes ainsi constituées illustrent les couleurs dominantes de chacun de ces éléments et permettent d'établir une statistique visuelle des couleurs les plus utilisées.

Tableau de synthèse
En superposant la palette ponctuelle sur la palette générale, on obtient la reconstitution synthétique de la façade analysée.
On peut accompagner ces tableaux de dessins ou de collages schématisant de façon plus réaliste les principales données chromatiques.
L'ensemble des façades inventoriées sur le site est regroupé sous forme de tableau synoptique, témoin aussi objectif que possible des couleurs d'un ensemble architectural.

Un type de recherche consisterait à analyser la composition chimique des matériaux de surface pour en connaître la composition exacte.
Parallèlement une étude, qu'il n'a pas été possible de réaliser ici, permettrait aux analystes de suivre dans le temps l'évolution de l'utilisation des matériaux et des couleurs, à l'aide de relevés quantitatifs par habitation, rue, hameau, village et ville.

107

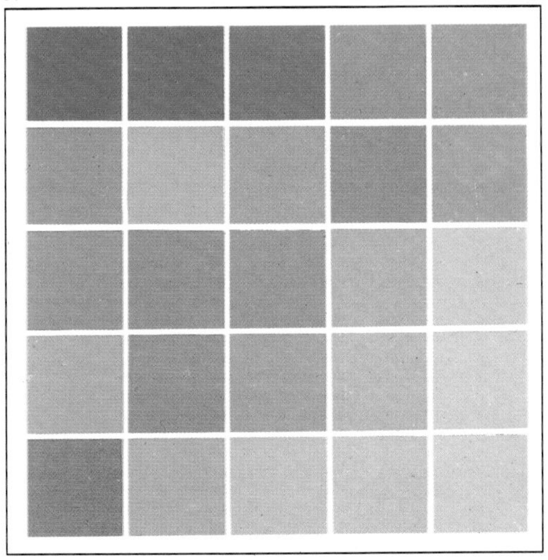

105 Cette planche illustre les constats établis à l'intérieur de Bonnieux. Elle représente une synthèse des façades par superposition de la palette ponctuelle (fig. 103) sur la palette générale (fig. 104).

106

108

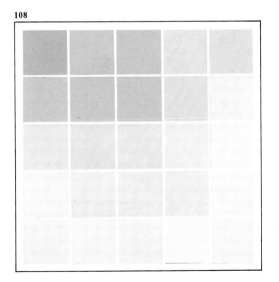

109

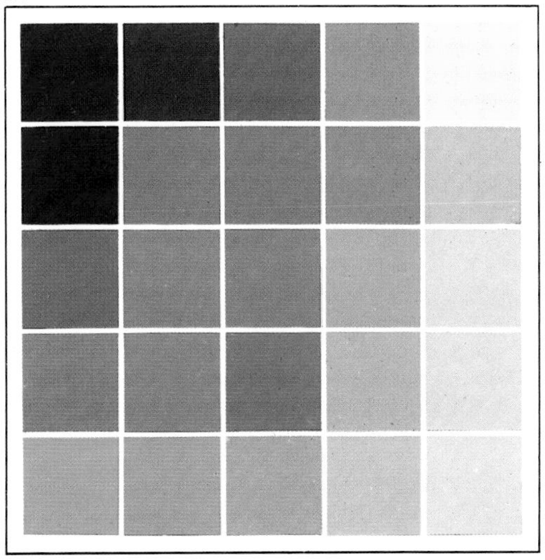

110

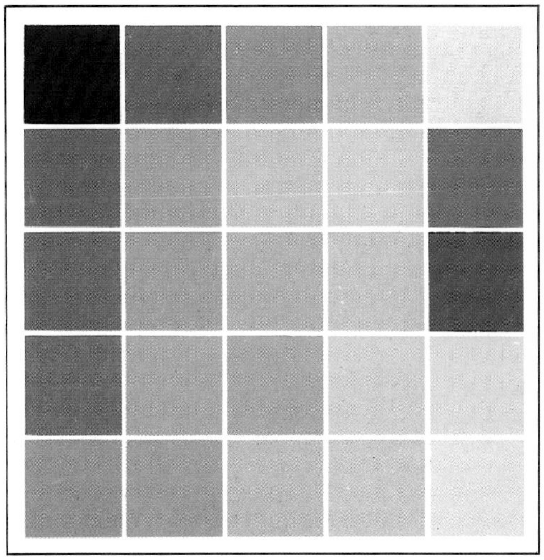

106 Analyse des rapports qualitatifs et quantitatifs.

107 Synthèse des couleurs de toitures.

108 Synthèse des couleurs de façades.

109 Synthèse des éléments ponctuels : les portes.

110 Synthèse des éléments ponctuels : les fenêtres et volets.

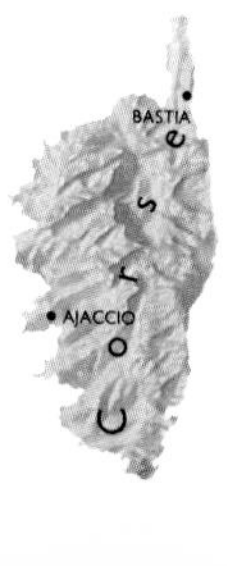

111 Cette carte de France propose une lecture à différents niveaux. On y voit figurer les provinces sous leur appellation datant de l'Ancien Régime (Gascogne, Berry, Picardie...), ainsi que les principales villes des nouvelles régions administratives. Celles-ci permettent un repérage pratique des zones étudiées, pour lesquelles sont indiqués les appellations régionales et les noms de la plupart des villes.

Chacun des chapitres consacrés aux études de couleurs régionales est accompagné d'une carte de France, sur laquelle se détachent en valeur claire la région concernée et en valeur foncée les zones spécifiquement étudiées.

Les études de couleurs régionales

La couleur d'une construction neuve n'est plus, comme autrefois, le fruit spontané de l'utilisation des matériaux disponibles sur place. C'est, aujourd'hui, le résultat d'une décision qui doit être prise lors de la conception du projet et qui détermine alors la coloration des matériaux de base et celle des matériaux de revêtement : peinture, pâte de verre, glace ou tôle émaillée...
Pour favoriser une meilleure conception de l'aspect coloré de toute forme de construction, il est nécessaire de commencer par déterminer les données chromatiques du site. C'est l'inventaire de ces données, poursuivi dans l'ensemble des régions de France, qui a donné naissance à ce livre.
Il n'est pas possible de reproduire ces analyses dans leur totalité, bien qu'elles présentent chacune un intérêt singulier. Ce livre est donc loin d'être exhaustif, mais il peut être le point de départ de recherches plus approfondies sur le plan de la couleur proprement dite et sur tous les facteurs d'ordre socioculturel qui sont étroitement liés à ce phénomène.

Le Nord

112

C'est à travers sa vraie lumière, un peu maussade les jours de pluie, que le Nord révèle le mieux ses profondes qualités chromatiques, car l'humidité de l'air y intensifie le jeu des couleurs et y accentue les contrastes.

Constituée principalement par des collines ou des plateaux dont l'argile repose sur d'épaisses assises de craie, la région du Nord présente des paysages variés qui, tous, sont caractérisés par un habitat aux couleurs fortes, qu'il s'agisse de la Picardie ondulante aux longues et douces courbes de terre striées, du Boulonnais verdoyant et vallonné, de la plaine des Flandres où l'architecture étale ses grandes façades peintes à la chaux face aux vents et aux ciels immenses, ou encore des austères paysages industriels. Les habitants de cette région aiment la couleur et animent leurs murs de vives tonalités.

112 Paysage et architecture rurale de la région de Boulogne. Cette région côtière, verdoyante et vallonnée, dissimule au creux de ses vallées de jolies fermes aux tuiles orange et brunes, dont les façades sont le plus souvent passées au lait de chaux.

113

113 Petite façade paysanne à Wirwignes, dans le Pas-de-Calais. Le blanc de chaux de la façade fait ressortir les tonalités (brun orangé) des menuiseries des fenêtres ornées d'un encadrement ocre. Cette couleur, en à-plat sur les volets, se retrouve sur la toiture dans une vibration pointilliste qu'accentue la trame structurelle des tuiles flamandes.

114

115

L'habitat rural

L'horizontalité est la ligne prédominante de l'architecture rurale. L'habitation se confond avec les bâtiments de la ferme dont les longues toitures affichent leurs couleurs de tuiles si particulières, dans des gammes de rouges et de bruns. Cette ligne de force est souvent soulignée par les soubassements traités en valeurs contrastantes.

Il est important de ne pas oublier l'intervention des masses végétales étroitement liées à l'architecture, qui accompagnent de leurs courbes sinueuses les bâtiments aux lignes régulières et tendues.

114 Le découpage de ces deux maisons ouvrières, par l'utilisation de la peinture, exprime parfaitement le pouvoir presque magique de la couleur pour transformer l'aspect visuel de l'architecture. Contraste clair-obscur vert et rose, contraste de valeurs blanc et gris (Lillers, Pas-de-Calais).

115 D'une maison à l'autre, on utilise parfois les mêmes couleurs, mais combinées différemment, comme dans cette partie d'une petite rue de Verquin (Pas-de-Calais). Le blanc du mur de droite se retrouve dans l'encadrement et les boiseries de la fenêtre de gauche. Le rouge de la façade de gauche est le même que celui du soubassement de droite. Une constante cependant : le vert des portes et des volets.

116

117

Palette générale
C'est la couleur des surfaces les plus grandes, celle des toits et des murs.
Le matériau utilisé pour les toitures s'appelle la « panne ». Apparue dans les Flandres avec les Espagnols, au XVIe siècle, elle a la forme d'un S et se décline en de nombreuses variantes de profils et de couleurs – de l'orange vif au noir aubergine, en passant par tous les dégradés de bruns. Elle présente parfois la particularité d'être vernissée. Le climat, souvent humide, favorise l'apparition de mousses et de lichens qui modifie la couleur initiale en créant de subtils contrastes ; sur les pannes rouges, un léger saupoudrage de mousse verte fait vibrer la tonalité chaude de la toiture.
Les murs de brique sont également réalisés avec l'argile locale. Leurs tonalités, d'un rouge-brun à dominante sombre, se fondent en valeur avec celles des champs dont la terre brune, parfois presque noire, accuse, lors de la période des labours, l'austérité du paysage. Par ses couleurs, l'habitation s'identifie à son environnement naturel.
La composition de la brique et son mode d'appareillage présentent des propriétés singulières de matières et de textures qui se retrouvent très diversifiées dans toutes les provinces utilisant ce matériau. La dimension des briques et leurs proportions ajoutent leur spécificité à la couleur des composants de base transformés par la cuisson. La régularité rigoureuse du format de la brique est soulignée par le joint de mortier ou de ciment qui relie les modules entre eux. De son graphisme léger, cette trame régulière anime et met en valeur la dominante rouge ou brune des murs.

118

116 Pannes flamandes sur un petit toit d'appentis, à Morbecque (Nord). C'est le matériau de couverture traditionnellement employé dans les Flandres. Les tuiles en forme de S, disposées dans le sens du vent dominant, rappellent l'ondulation de l'eau à la surface d'un étang, sous le souffle de la brise. Quelques tuiles vernissées apportent leurs teintes foncées à cet ensemble de terre cuite.

117 Aux confins des Flandres et de l'Artois, les vastes fermes ou « cinses » forment autour de la cour un quadrilatère parfait. Ici, à Fleurbaix (Pas-de-Calais), les bâtiments agricoles et la partie réservée à l'habitation sont construits dans les mêmes matériaux : brique pour les murs et tuile flamande pour les toitures. Les tonalités de la palette générale sont ainsi dominées par l'ocre rouge de la terre cuite. La couleur des menuiseries vertes, en homochromie avec la pelouse, est rehaussée par la ponctuation blanche des appuis de fenêtre.

118 Petite grange à Morbecque, dans les Flandres. Entre les pans de bois, le hourdis, qui initialement était de torchis à base d'argile mélangée de laine ou de crin, a été remplacé par une maçonnerie de brique ancienne, dont les joints de mortier accompagnent avec délicatesse le ton grisé du bois patiné. La lumière frisante de cet après-midi de décembre met en relief la structure de la toiture en pannes flamandes.

119

119 Dans les Flandres, il est courant de trouver la date de construction des bâtiments inscrite sur les toits. On rencontre encore, en particulier dans la région de Cassel, des toitures en pannes vernissées, mais elles sont, hélas ! en voie de disparition. Leurs couleurs se déclinent dans une variation de rouge bordeaux, aubergine et brun Van Dyck tirant sur le noir. A la profondeur de ces nuances s'ajoutent les reflets chatoyants de la lumière sur la surface vernie.

120

Lorsque les murs sont badigeonnés à la chaux, suivant une tradition flamande qui s'étend progressivement à toute l'architecture du Nord, ils présentent un rapport contrasté avec la végétation très verdoyante. Ils ont généralement une belle matière et une structure vivante, car les jeux d'ombre et de lumière accusent la régularité de la trame des joints.

Palette ponctuelle
Cette palette est composée des éléments aux surfaces colorées proportionnellement plus réduites, que sont les menuiseries, les soubassements, les encadrements et tout autre élément de détail apportant une note colorée, parfois en camaïeu, parfois en contraste.
Les soubassements sont traditionnellement recouverts d'une couche de peinture ou de goudron destinée à les protéger de l'humidité et des taches provoquées par les éclaboussures des eaux de pluie tombant du toit. Ils sont plus fréquemment repeints que le reste de la façade, et leurs tonalités retrouvent certaines constantes où prédominent le noir du goudron, le rouge-brun rappelant la tonalité de la terre ou de la brique (région de Frévent), à moins que n'apparaissent des ocres et des gris au hasard des circonstances.
Le soubassement, par ses variantes chromatiques, est un élément visuel très important dans l'expression rythmique, et l'horizontalité des lignes de l'architecture.
Quant aux *portes de garages ou d'écuries*, elles sont parfois l'objet d'une véritable animation graphique. Situées aux confins de la Somme, ces fermes sont significatives de cette recherche ; le rythme vertical rompt habilement les grandes lignes horizontales de

121

120 Le mur extérieur de cette étable, faisant partie d'une ferme datant de 1723, présente un caractère chromatique remarquable par la combinaison de la pierre de taille et de la brique, qui forme des bandes horizontales de même tonalité que la toiture de pannes flamandes. La nervure centrale, coupée par les oculi d'aération, apporte une ponctuation décorative et rythmique qui contraste avec l'horizontalité du bâtiment (Chocques, Pas-de-Calais).

121 De proportions quantitatives presque égales, les deux tonalités dominantes de cette grande maison rurale – gris verdâtre de l'ardoise et blanc de chaux de la façade – se conjuguent en un contraste de valeurs sombre et claire. Le soubassement rouge brique souligne l'horizontalité de cette architecture picarde et apporte sa note de couleur chaude à un paysage où domine le vert végétal (Lucheux, Somme).

122

123

ces bâtiments ; nous remarquons ici la qualité chromatique de la déclinaison des gris et des verts.
Quelques contrastes entre les éléments de la palette ponctuelle et ceux de la palette générale sont particulièrement frappants, notamment les contrastes de couleurs complémentaires : volets verts et brique écarlate, goudron noir et lait de chaux blanc, etc.

122 Ces façades modestes de la petite ville de Desvres (Pas-de-Calais) témoignent d'une recherche d'individualité par les tonalités rouge brique, ocre et grises de leurs façades qui, toutes différentes, restent néanmoins très complémentaires les unes des autres.

123 Sur ce bâtiment de ferme picarde à Etinehem (Somme), la tonalité foncée de la palette ponctuelle dessine avec netteté l'ordonnance géométrique des ouvertures qui se détachent comme des trous d'ombre sur la façade blanche. Le mur, passé au lait de chaux, est devenu une matière vivante et animée qui laisse apparaître la structure des joints de brique. Le bleu foncé des menuiseries crée un contraste complémentaire avec la tuile d'un rouge orangé éclatant.

124

125

126

127

124/125/126/127 Dans les Flandres et en Picardie, le soubassement est un élément ponctuel qui joue un rôle important dans la répartition des couleurs de l'habitat. Les tonalités de celui-ci forment un contraste vigoureux avec la façade et sont le plus souvent noir goudron et rouge brique. Ces revêtements sont destinés à protéger les soubassements de l'humidité et des projections de boue.

128

129

L'habitat urbain
Dans les villes du Nord de la France, la juxtaposition des façades colorées crée un véritable décor pictural. L'animation de l'habitat urbain par l'accumulation des couleurs est très caractéristique de cette région ; elle répond au besoin qu'a l'habitant d'entretenir et d'individualiser des façades qui, par leur architecture, seraient trop semblables les unes aux autres.

Palette générale
Pour les toitures, les matériaux de base sont la panne flamande et ses dérivés, et dans certaines villes l'ardoise. Les murs, eux, sont en brique. La gamme des couleurs de la brique est très étendue ; mais prédominent surtout les rouges violacés, les oxydes rouges, les pourpres sombres. Ces teintes sont parfois mélangées, parfois classées suivant les lignes de l'architecture, en tranches plus ou moins larges, de tonalités différentes.
Autrefois laissés dans leur état naturel, les murs des maisons sont aujourd'hui régulièrement repeints par les habitants qui ont un grand souci d'entretien et de propreté. Ce renouvellement périodique, tous les trois ans environ, dans les régions industrielles ou minières, accentue progressivement *l'individualisme des façades.* On y retrouve généralement l'influence des tonalités saturées de la brique : oxyde rouge, rouge-brun et ocre...
Cependant, l'usage du blanc, à la manière flamande, se répand rapidement dans l'habitat du Nord. Les façades de brique perdent ainsi leurs caractères distinctifs et leur richesse chromatique. Certains espaces urbains, qui avaient autrefois une dominante chromatique chaude et colorée, présentent maintenant une

128 Ce portail de ferme présente une particularité bien caractéristique de la Thiérache. Le bois de la porte cochère est couvert d'un graphisme formé de rayures verticales vertes et blanches dont le rythme régulier contraste avec la texture des matériaux voisins : qualité uniforme du sol beige rosé, pointillisme en camaïeu des ardoises, vibration légère des joints réguliers de la brique (Hirsen-la-Capelle).

129 En Picardie, les persiennes sont souvent peintes avec soin de deux tonalités contrastées. Les panneaux pleins ou à claire-voie de valeur claire sont encadrés par un châssis de couleur foncée (Abbeville).

130

131

130 Sur la grand-place de Samer, dans le Boulonnais, les façades de cet ensemble urbain sont couvertes d'enduits clairs à la manière flamande. Les matériaux de toitures contrastent en valeur et en tonalité avec les façades. Leurs dominantes brunes et grises sont fortement réveillées par l'orange de la tuile mécanique. La répartition de ces couleurs entre elles et leur découpe dans l'espace donnent à ce paysage architectural une grande qualité picturale.

131 Ces maisons d'Abbeville témoignent du goût prononcé pour la couleur qu'ont les habitants de cette région. D'ailleurs, ils disent eux-mêmes, quand ils repeignent leur maison, qu'ils la « mettent en couleurs ». L'appareil de brique qui subsiste à l'étage d'une de ces habitations est le témoin chromatique du matériau de construction. Sur les autres façades, la maçonnerie a été rajeunie par un revêtement d'enduit coloré dont la diversité traduit l'individualité des habitants.

physionomie blanche et uniforme. Dans le Nord, un facteur particulier joue en faveur d'un nouvel usage des couleurs : la fermeture progressive des mines de charbon, qui a fait diminuer la pollution atmosphérique, autorise l'application de couleurs plus claires et notamment du blanc.

132

Palette ponctuelle
Dans les régions du Nord, la gamme ponctuelle contraste avec la palette générale d'une façon plus affirmée que dans d'autres provinces. Sans doute est-ce dû au fait que les tonalités affirmées de la brique ont engendré des contrastes d'opposition plus accentués sur les éléments de détail. On peut également penser que c'est par réaction à l'austérité du climat que les habitants ont éprouvé le besoin d'utiliser une palette ponctuelle gaie et animée.
Dans la maison flamande en brique, les linteaux de pierre sont surmontés par des arcs en décharge reportant le poids de la maçonnerie sur des appuis de pierre ou de brique ; un bandeau souligne également les étages et les coupures de fenêtres en permettant une meilleure répartition des charges sur la maçonnerie. Une trame linéaire ou pointilliste est ainsi constituée par la répétition, d'une maison à l'autre, de ces graphismes ponctuels de couleur blanche. Les menuiseries sont peintes dans diverses gammes de couleurs dont les dominantes sont le blanc, les verts, les gris et les bruns.
Les volets sont parfois l'objet d'une recherche d'animation graphique et concourent à l'expression personnelle de la façade.
Un certain nombre d'éléments permettent de conclure cette étude par l'affirmation des qualités chromatiques spécifiques de cette région et de son langage visuel, aussi riche qu'harmonieux. Ils sont constitués par :

– une expression très affirmée de la propriété individuelle grâce à l'utilisation sur les murs d'une gamme de tonalités variées ;

132 Cet ensemble de la rue Clusius, à Arras, présente un intérêt exceptionnel sur le plan de l'unité architecturale et chromatique. Quoique vigoureuses et contrastées, les tonalités à dominantes brunes et ocre des murs se déclinent dans une gamme très cohérente entre la grande horizontale gris sombre des toits et le vert intense de la pelouse. Leur particularité consiste en l'expression individuelle de la propriété, par la variété des couleurs d'un numéro à l'autre. L'unité est cependant préservée par la gamme d'oxydes rouges et par la répétition des menuiseries claires, auxquelles se superpose la trame visuelle des taches blanches régulièrement placées à la clé et aux angles des fenêtres.

133

134

135

136

133 Sur les bords du canal, l'unité de cet ensemble provient de l'utilisation de la terre cuite. Ses tonalités rouge orangé apparaissent sur les toitures et sur quelques façades. L'effet rythmique de la segmentation verticale des habitations est rompu par l'inclinaison répétitive des toits (environs de Dunkerque).

134 Belle maison d'Amiens sur laquelle la brique est recouverte d'un vert amande qu'encadrent les lignes de force de l'architecture, soulignées par un blanc pur. Avec sa toiture gris ardoise, cette façade classique aux dominantes chromatiques froides est rehaussée par le contraste ponctuel du ton chaud de la porte cintrée en bois verni.

135 Palette gaie et contrastée, 3, rue Charleroi, à Saint-Quentin. Les deux palettes, générale et ponctuelle, s'équilibrent parfaitement dans une opposition de tonalités chaudes et froides, de même intensité : rouge brique et crème pour la façade et les encadrements, vert pour la porte et les volets ; la toiture et le soubassement sont gris et leur valeur neutre s'accompagne du blanc lumineux des fenêtres.

136 Deux tonalités se partagent la palette de ces façades urbaines, à La Chapelle-d'Armentières : le brun-rouge de la brique et de la tuile, et la ponctuation blanche des éléments de détail – bandeaux, fenêtres et volets. La maçonnerie de brique est ornée de motifs qui évoquent des points de broderie. Leur présence ne répond pas uniquement à un souci décoratif, mais s'explique aussi par un ensemble de signes magiques destinés à protéger la maison et ses habitants. Le losange, par exemple, est un porte-bonheur.

137

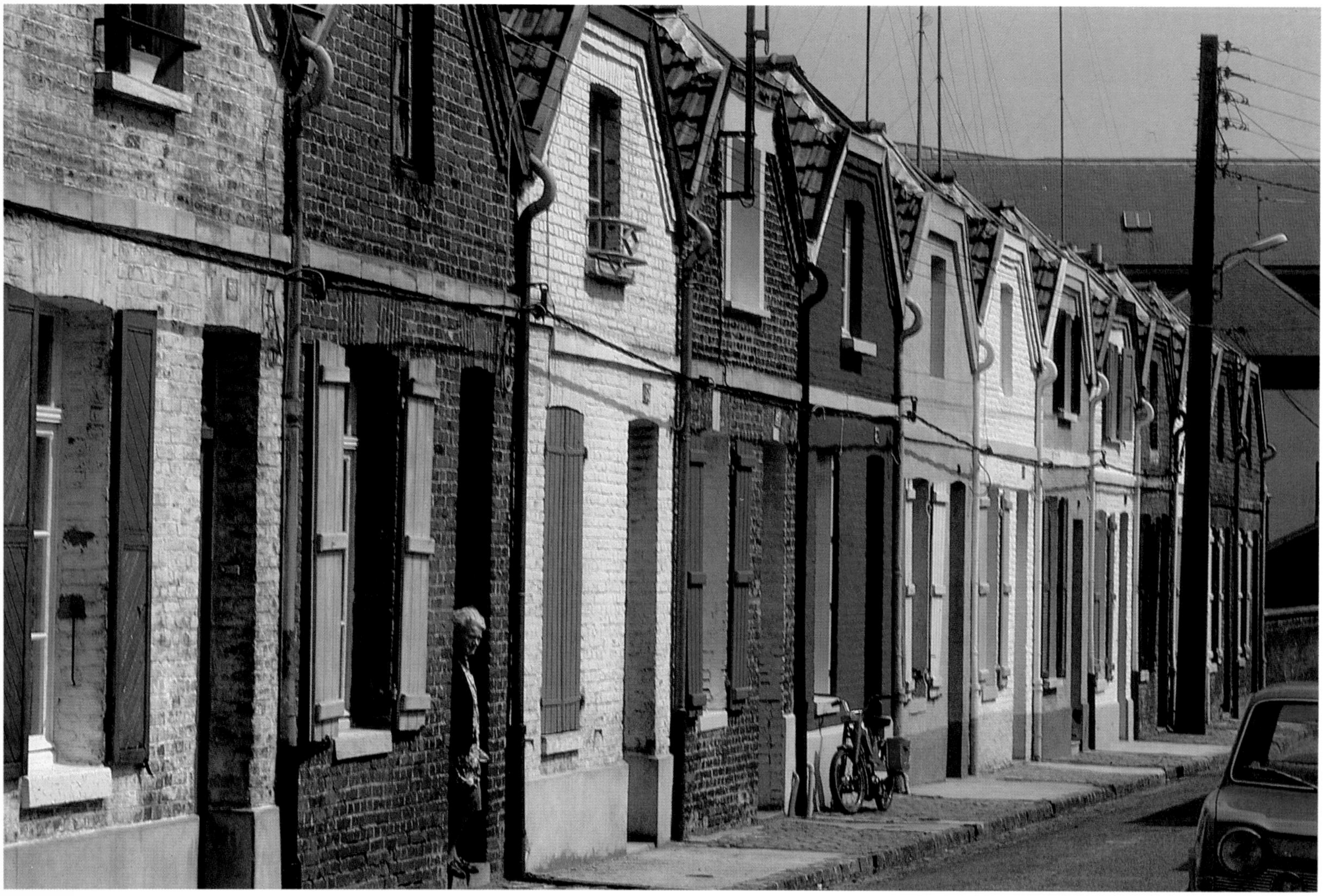

– une constante chromatique provenant de la juxtaposition de couleurs soutenues et contrastées, tant en tonalités qu'en valeurs ;
– l'animation graphique des façades et des menuiseries grâce à des tonalités ou des valeurs très contrastées qui en affirment la structure.

L'habitat du Nord a certainement l'une des palettes de couleurs les plus animées des régions françaises.

138

139

137 Rangée de maisons ouvrières, à Saint-Quentin. Cet habitat industriel répétitif montre que la couleur est un moyen pratique dont les habitants aiment à se servir pour identifier et rajeunir leur lieu d'habitation. Leurs choix, qui font preuve d'une réelle créativité, produisent des juxtapositions de couleurs contrastées qui donnent vie à ces façades et compensent la monotonie de cette architecture.

138 Façade peinte, boulevard Gambetta, à Saint-Quentin. Cet exemple traduit très nettement la tendance actuelle qui consiste à repeindre les matériaux dans des tonalités qui renforcent leurs couleurs initiales. Le dessin de la façade est souligné par un graphisme contrastant.

139 Deux façades de brique et de pierre de taille patinées par le temps encadrent cette habitation urbaine, dont la peinture fraîchement refaite reprend les couleurs initiales dans une transposition artificielle. Dans l'architecture française, il n'est pas rare de constater ce type d'interprétation, parfois caricatural, du matériau d'origine. Celui-ci est habillé par une peinture ou un revêtement de couleur plus rouge que la brique et plus blanc que la pierre. Ce parti pris transforme le paysage et présente un intérêt sémiologique que pourrait mettre en valeur une étude particulière (31, avenue Gambetta, à Saint-Quentin).

140

141

142

143

140 Le grand pignon de cette maison d'Aire (Pas-de-Calais) témoigne d'une gradation chromatique. Tandis que la partie supérieure conserve la coloration naturelle de la brique aux tonalités rouge-brun, deux couches de peinture partagent le reste du mur en larges bandes horizontales, l'une ocre jaune et l'autre blanche, tout en laissant apparaître sous le revêtement la structure du matériau de base.

141 Sous les arcades de la célèbre Grand-Place d'Arras, aux façades de style espagnol, se décline une très harmonieuse gamme d'ocres rouges, d'ocres jaunes et de bruns. Ces tonalités naturelles encadrent la porte centrale en chêne verni. Le sol, en pavés de grès, est une surface dont la structure est particulièrement vivante.

142 Rue Posteau, à Arras. Tout en conservant la texture de la maçonnerie de brique, la peinture oxyde rouge exalte la coloration initiale du matériau. Elle est mise en valeur par le blanc des fenêtres, des volets et des bandeaux qui soulignent la modénature de la façade et elle contraste avec la ligne noire du soubassement enduit de goudron.

143 Paysage urbain dont la qualité chromatique tient surtout aux contrastes nuancés entre les bruns et les gris colorés. Dans ce camaïeu, ce sont essentiellement le rythme et la vibration des couleurs qui donnent vie à la palette (Doullens, Somme).

144

145

146

147

148

149

150

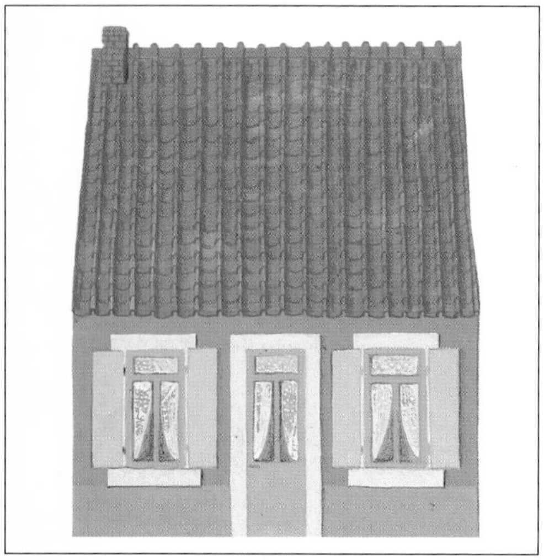

151

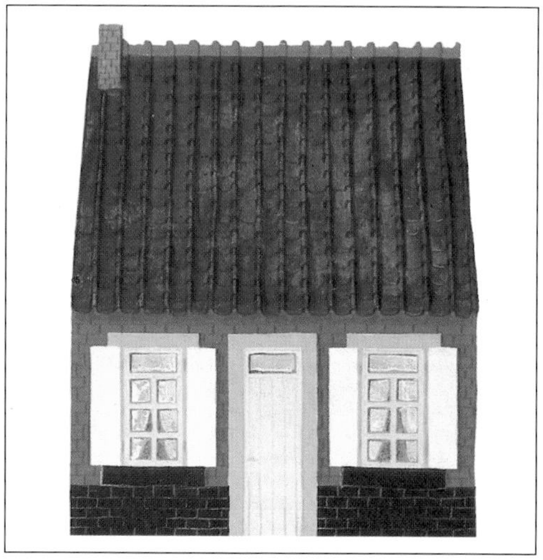

152

Ces illustrations s'inspirent des constats relevés dans la région du Nord au cours des analyses de site et peuvent constituer un point de départ pour l'élaboration de nouvelles harmonies en rapport avec les données de l'habitat traditionnel que les planches de synthèse rassemblent de façon schématique.
Les toits couverts en pannes flamandes présentent des colorations d'une grande variété, qui se déclinent de l'orange vif au brun aubergine presque noir des tuiles vernissées de la campagne flamande.

144 Le toit et les menuiseries brun-rouge de cette habitation ont une identité chromatique qui prend toute sa valeur sur le fond d'enduit clair et neutre. Seul, le soubassement goudronné contraste vigoureusement par son bandeau noir.

145 Sur cette maison, c'est le soubassement rouge brique qui apporte l'accent tonique à la gamme chromatique de la façade en demi-teintes.

146 Cette maison est un exemple de camaïeu de gris qui se situent dans une échelle de valeurs subtiles. La douceur de cette palette est due à l'absence de contrastes affirmés.

147 Deux tonalités dominantes composent la gamme chromatique de cette maison : le rouge brique de la terre cuite et le blanc des éléments de la palette ponctuelle.

148 Le brun-rouge du soubassement et des menuiseries rappelle la couleur de la tuile. Les encadrements blancs se dessinent sur le fond d'enduit ocre jaune dont la valeur est intermédiaire entre le brun-rouge et le blanc.

149 La façade de cette maison se décline dans une échelle de gris colorés. Le blanc des encadrements éclaire la dominante générale.

Synthèse visuelle des relevés de façades du Nord
Ces planches de synthèse illustrent les résultats des analyses de couleurs poursuivies dans les départements du Nord, du Pas-de-Calais et de la Somme.
Elles résument les informations chromatiques recueillies sur le terrain, suivant le processus expliqué dans le chapitre consacré à la méthode. Les prélèvements de matériaux ont été fidèlement transposés en échantillons de couleurs qui sont regroupés par familles dans les planches de synthèse.

153

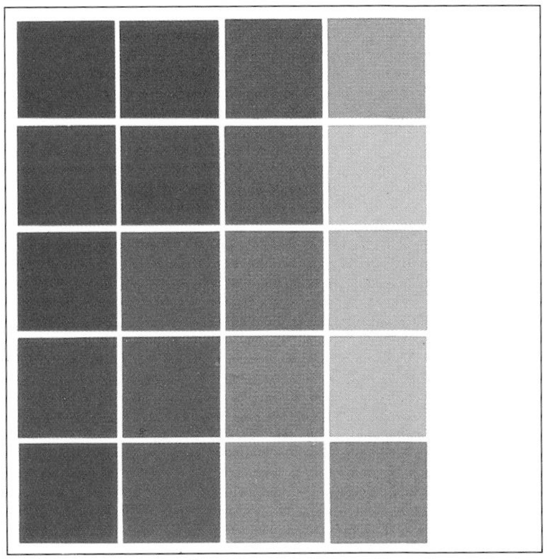

154

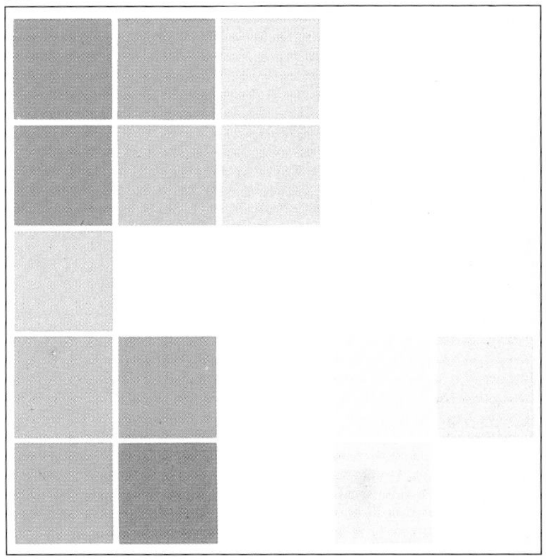

155

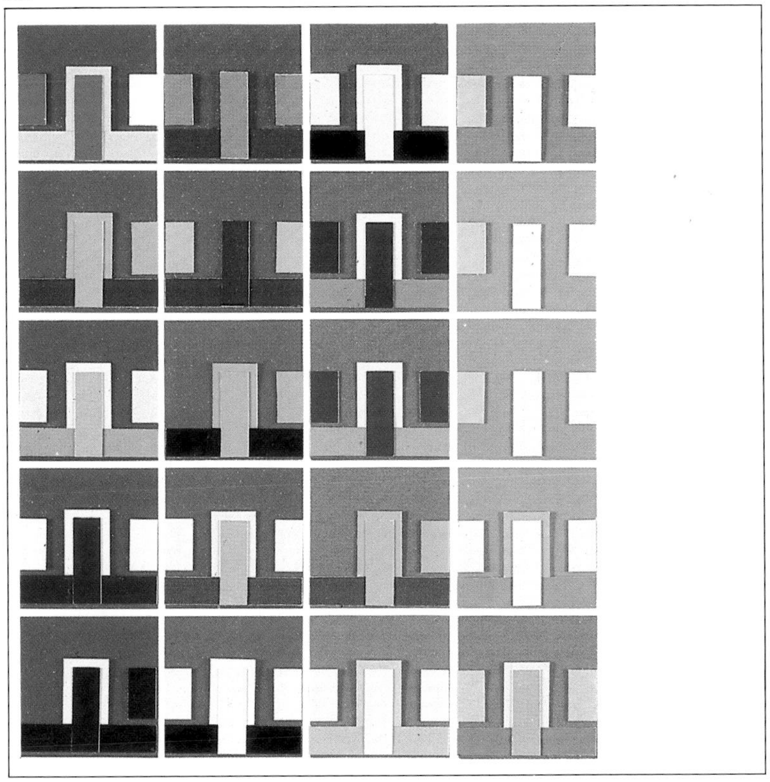

156

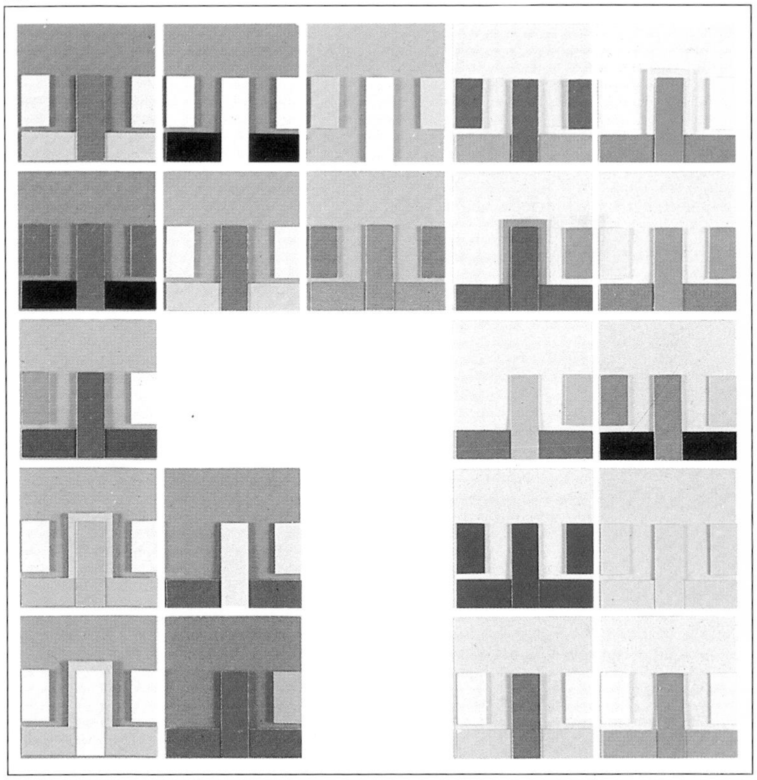

150 C'est le registre des ocres qui donne son caractère à cette palette tout en contrastes de qualités. De même valeur que le mur, le gris neutre du soubassement fait valoir la qualité pigmentaire des couleurs voisines.

151 Comme c'est souvent le cas dans la région industrielle du Nord, l'appareil de brique de la façade est rajeuni d'une peinture oxyde rouge et le soubassement est souligné d'un revêtement noir, autrefois à base de goudron.

152 C'est le contraste des couleurs complémentaires entre le vert des menuiseries et le rouge-brun de la palette générale qui donne son caractère chromatique à cette habitation, vivement éclairée par les encadrements blancs.

153/154 Palette générale : les façades.

155/156 Synthèse des façades du Nord. Sur la palette générale (fig. 153 et 154) ont été appliqués les éléments de la palette ponctuelle : soubassements, encadrements, portes, fenêtres et volets.

157

158

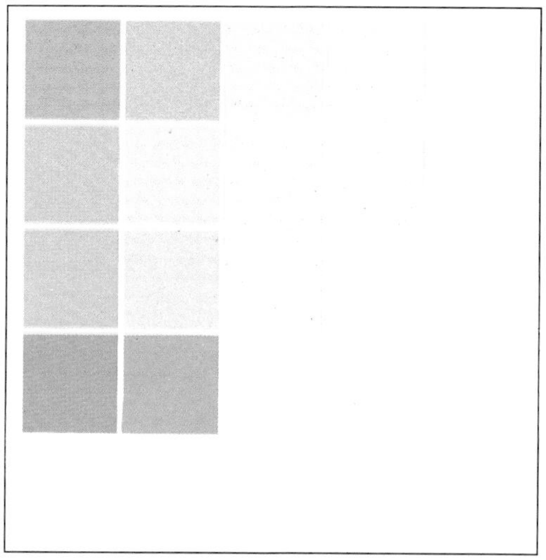

159

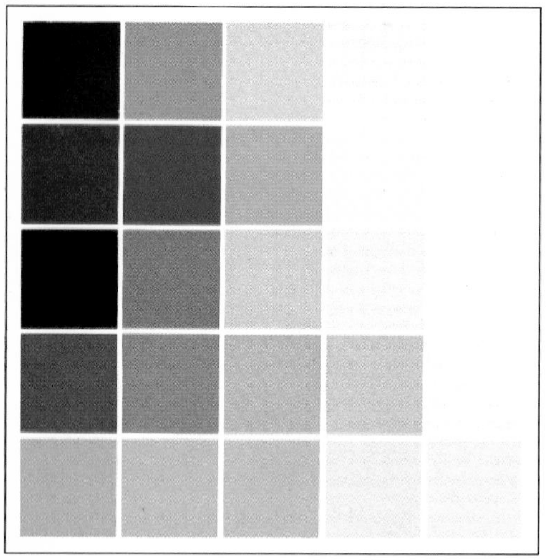

160

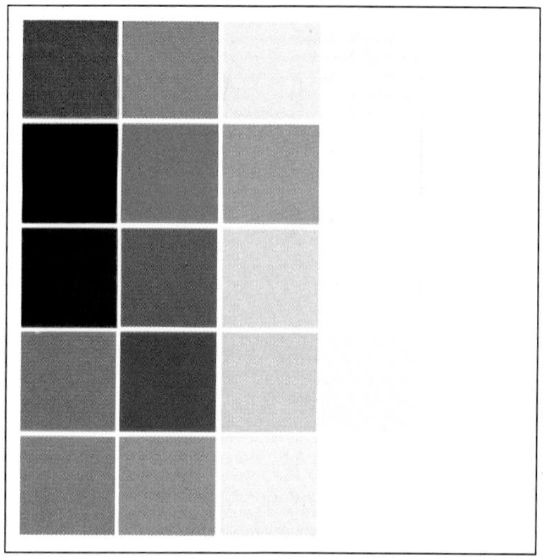

161

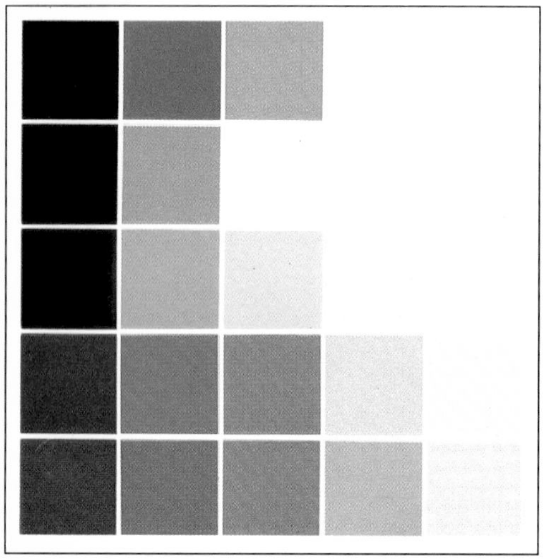

162

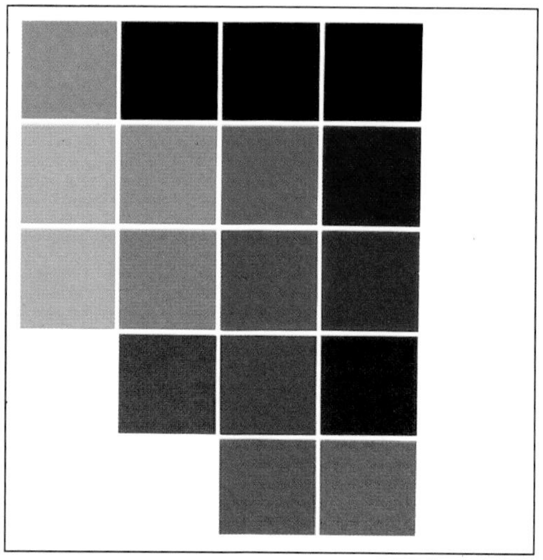

Cette première étude de couleurs régionales propose les résultats de l'analyse chromatique sous une forme plus détaillée que pour les autres régions. Elle présente :

– d'une part, la palette de chacun des composants de l'architecture : façades, soubassements, encadrements, fenêtres, volets et portes ;

– d'autre part, l'assemblage de ces éléments reconstituant, carré par carré, les maisons les plus significatives de l'inventaire effectué dans la région du Nord.

Ces petites façades stylisées ne sont pas le fruit d'une création subjective. Elles correspondent chacune à une maison réelle dont on a relevé objectivement les caractères chromatiques. Elles sont groupées sous forme de tableaux synoptiques qui mettent en évidence la spécificité de cette région, en comparaison avec les autres régions françaises. Ces planches de couleurs peuvent constituer un point de départ pour la recherche, l'invention et la création de combinaisons colorées, en harmonie avec le vocabulaire de base de la région concernée.

La palette générale de l'habitat traditionnel du Nord révèle deux dominantes principales : l'ocre rouge spécifique de la terre cuite des briques du Nord, parfois repeintes dans une couleur similaire, et les teintes claires des enduits fabriqués autrefois à base de chaux. Dans la palette ponctuelle, les soubassements sont noirs, brun foncé, rouge brique et gris. Les encadrements sont généralement de couleur claire et mettent en valeur des menuiseries où prédominent les bruns, les tons bois, les gris colorés et quelques tonalités très claires. L'accent tonique vert, par son contraste complémentaire avec la brique, réveille toute la gamme.

157 Soubassements.

158 Encadrements.

159 Fenêtres.

160 Volets.

161/162 Portes.

163

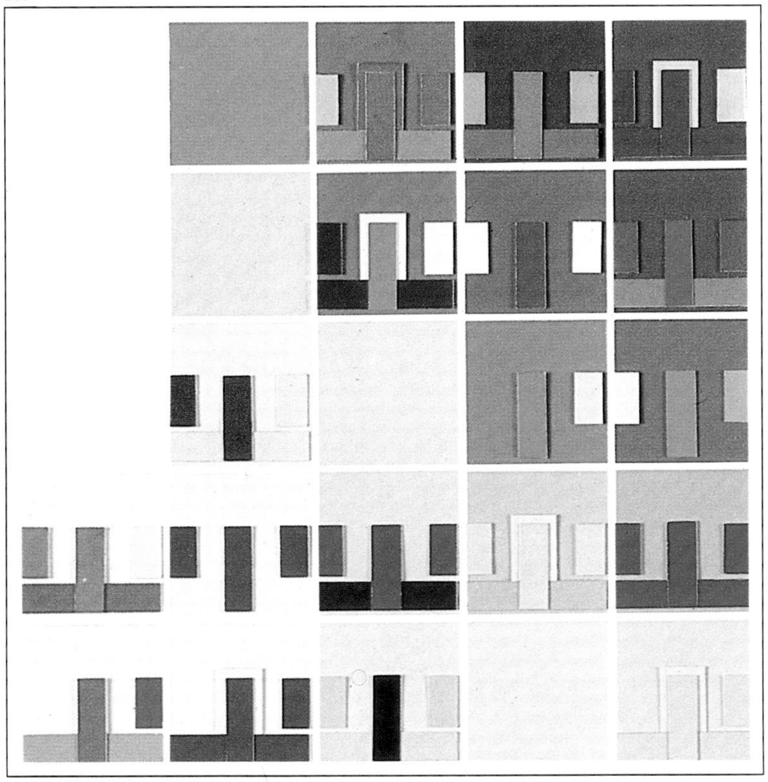

164

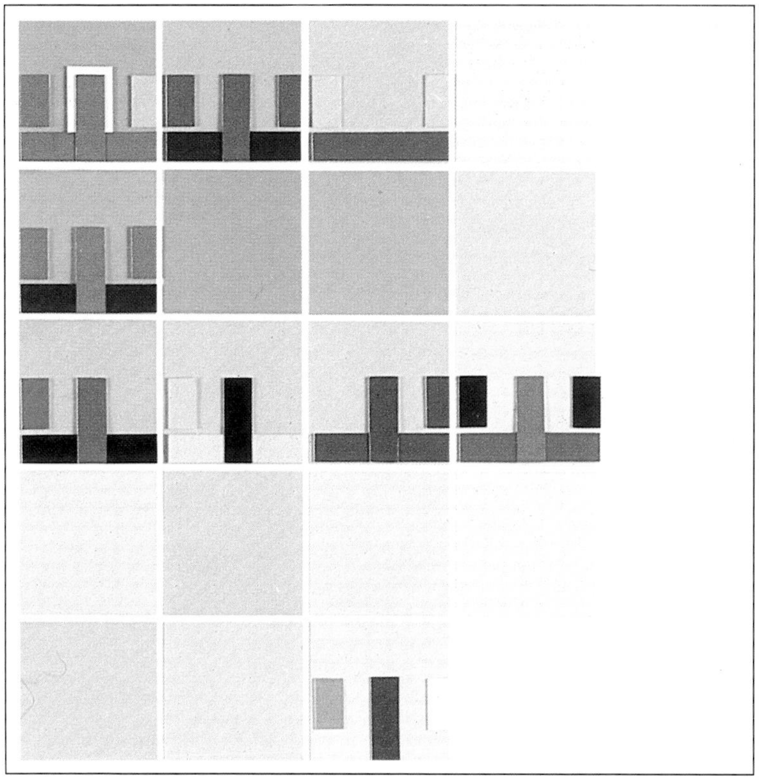

165

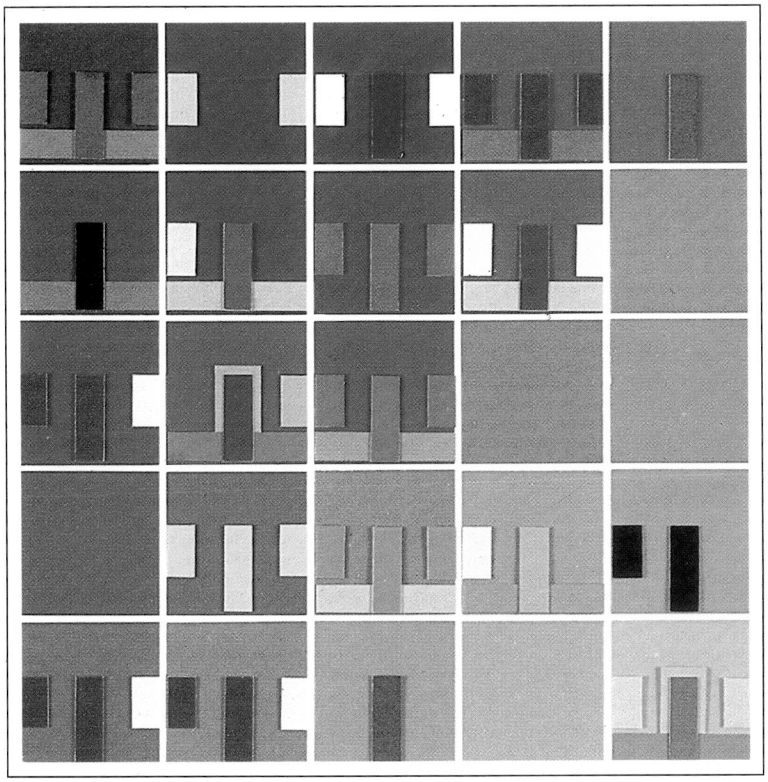

163/164/165 Les trois planches de synthèse expriment les tendances chromatiques propres aux départements de la Somme et du Pas-de-Calais. Les tonalités de base sont les mêmes que dans le Nord, mais dans un rapport proportionnel un peu différent, car les maisons de brique sont plus fréquemment recouvertes d'un badigeon blanc.

La Normandie

De part et d'autre de l'estuaire de la Seine, entre la Manche et l'Ile-de-France, la Normandie étale des paysages variés sur les cinq départements de la Manche, du Calvados, de l'Orne, de l'Eure et de la Seine-Maritime. Seules l'humidité de son climat et sa prédilection pour l'élevage font son unité, car elle est géographiquement très diversifiée. Tandis qu'à l'est, la Haute-Normandie, constituée essentiellement de régions crayeuses recouvertes d'argile à silex, se rattache au Bassin parisien, à l'ouest, la Basse-Normandie est une partie du Massif armoricain où abondent les roches dures : schistes, grès et granits.
La constitution géologique de cette province détermine la diversité des matériaux de construction de ces deux régions et l'originalité de leur caractère chromatique.

166

166 Ce qui donne son identité à un certain type d'habitat, c'est autant la physionomie même de l'architecture que le paysage dans lequel elle s'inscrit. Isolée au milieu d'une campagne verdoyante, cette ferme à pans de bois, coiffée d'une haute toiture brunâtre, percée d'une lucarne à auvent, est un exemple caractéristique de maison normande (sud du Calvados).

167

167 A Honfleur, cet ensemble architectural rendu célèbre par les peintres témoigne d'une très grande diversité de matériaux : ardoise, brique, tuile, enduit, bois... Cette hétérogénéité pourrait nuire à l'unité visuelle du paysage ; or, au contraire, c'est elle qui est à la base de l'aspect structurel et chromatique de ces façades. Comme dans un patchwork, cette vibration chromatique exceptionnelle est le fruit de l'assemblage de matières et de couleurs, sur lequel se superposent le rythme vertical des plans colorés et la trame ponctuelle des ouvertures. Les matériaux de l'architecture normande s'inscrivent, le plus souvent, dans une échelle de clartés à dominante sombre. C'est ici le cas de la brique et de l'ardoise. La juxtaposition de ces tonalités chaudes et froides et ces contrastes clair- obscur contribuent à la qualité picturale du paysage.

168

169

La Haute-Normandie
Les maisons de Haute-Normandie (regroupant les deux départements de l'Eure et de la Seine-Maritime, ainsi que le pays d'Auge dans le Calvados) ont une silhouette bien caractéristique avec leur large toiture débordant légèrement sur les murs gouttereaux, afin d'assurer la protection de ceux-ci. L'habitation typique de cette région est représentée par la maison à colombage, constituée par une structure de pans de bois ou « colombes », dont le remplissage est assuré par un hourdis de torchis. Celui-ci a une faible résistance, mais sa protection est régulièrement renforcée par une mince couche de mortier de chaux qui, par sa couleur claire, contraste avec la tonalité sombre du bois. Lorsqu'ils sont laissés naturels, les pans de bois ont une coloration gris clair ou gris soutenu, selon qu'il s'agit d'orme ou de chêne. Mais ils sont parfois passés à l'huile de lin, peints en rouge foncé ou en brun-noir, ou encore teintés au brou de noix ; leur teinte sombre contraste alors plus vivement avec le fond blanc. On peut utiliser aussi, pour protéger le bois en profondeur, des vernis d'imprégnation insecticides, fongicides et antibleu.
Cependant la construction à pans de bois ne reste pas toujours apparente. Les parties les plus exposées sont souvent protégées des intempéries soit par un bardage de planches posées horizontalement en superposition, soit par un essentage de tuiles, d'ardoises, ou encore par des bardeaux de bois sciés rectangulairement ou en forme d'écailles. Le port de Honfleur présente un ensemble architectural exceptionnel par la succession de ses façades recouvertes d'essentages d'ardoises ; le caractère structurel et

168 Ces habitations de Dieppe sont un nouvel exemple de la variété des matériaux de construction. La modénature des façades est très accusée par l'utilisation de la brique pour les chaînes, les encadrements et les bandeaux. La gamme des couleurs se trouve ici dominée par le dessin affirmé des éléments ponctuels qui contrastent, en tonalité ou en valeur, avec les matériaux de la palette générale.

169 Les murs composites de ces bâtiments de ferme présentent un éventail des matériaux généralement utilisés en Haute-Normandie : bois, silex, brique et pierre calcaire.
Proportions, tonalités et matières contribuent à la qualité de cet ensemble rural du pays de Caux. L'amiante qui recouvre le bâtiment à pans de bois se marie harmonieusement avec les autres composants de l'architecture et témoigne de l'efficacité de la couleur comme facteur d'intégration visuelle d'un matériau moderne dans un contexte traditionnel.

170

171

170 Petite chaumière dans la campagne d'Yvetot, au pays de Caux. Sa palette chromatique se compose de tonalités sombres pour les colombages, de valeur moyenne pour la toiture, le soubassement et les menuiseries, et du blanc de l'enduit à base de chaux qui protège le torchis. On remarque le caractère vivant du gris chaud de la couverture, dû à la surface structurée du chaume.

171 Avec ses murs de tonalité gris ocré et ses encadrements de granit, de valeur identique, sous une vaste toiture de terre cuite, le moulin de Cully, dans la campagne de Caen, exprime des tonalités générales à dominante chaude que ponctuent les menuiseries brunes et grises. Le pays d'Auge marque la transition entre l'utilisation du colombage et celle des matériaux durs, qui se généralise en Basse-Normandie.

172

chromatique de ce matériau contribue à faire de ce petit port un lieu privilégié très apprécié des peintres.

A présent, pour le remplissage de l'entre-colombage, on utilise de préférence au torchis, des briques ou des tuileaux maçonnés au mortier de chaux et disposés géométriquement en rangs de sens alternés ou en motifs variés. Certains manoirs du pays d'Ouche témoignent d'une grande recherche dans l'association des matériaux remplissant ces espaces où voisinent silex noir, pierre blanchâtre, briques et tuileaux roses.

L'originalité des maisons à colombage réside dans la beauté de l'organisation graphique de la façade par la disposition du pan de bois ; les pièces verticales dominent, formant un contraste intéressant avec l'horizontalité des bâtiments. C'est dans le pays d'Auge que le graphisme de l'ossature est le plus recherché : les pièces de bois verticales peuvent être si rapprochées que l'espace laissé entre elles est parfois inférieur à la largeur du bois ; et, lorsque les obliques viennent s'ajouter à la trame de base, les motifs sont d'une richesse et d'une variété étonnantes.

Même si l'architecture à pans de bois symbolise l'habitat de Haute-Normandie, les constructions de briques se rencontrent aussi dans le pays d'Auge, la plaine de Saint-André et le pays d'Ouche où les briques sont parfois vernissées sur deux tons ; dans le Vexin, on trouve des maçonneries de moellons calcaires et de silex. D'ailleurs, ces différents matériaux – brique, moellon calcaire et silex – sont souvent associés dans un appareillage mixte, comme sur les murs de Caudebec-en-Caux, dans le pays de Caux, où ils alternent en rangs réguliers.

Par leurs matières et leurs volumes, les toitures jouent un rôle très important dans la qualité visuelle de l'architecture de Haute-Normandie. Traditionnellement, les maisons normandes étaient recouvertes de chaume. C'était un matériau économique fourni par la production de paille de blé ou de seigle. Ce mode de couverture, qui nécessitait une pente d'au moins 45 degrés, a obligé à construire de hauts toits, caractéristiques de la région. Lorsque l'on a dû remplacer ce matériau pour des motifs de sécurité, on a pu employer l'ardoise sans avoir à modifier la charpente. On trouve aussi la tuile plate relativement épaisse, faite au moule, dont les tonalités roses et ocrées sont brunies par la mousse, le soleil et les intempéries. A la richesse de leur matière, ces toits ajoutent la structure régulière de leurs rangées horizontales.

173

172 Sur cette maison de la petite ville de Courtomer, aux confins de l'Orne et du pays d'Auge, c'est le galon blanc, encadrant élégamment les panneaux de crépi sombre, qui donne à cette façade classique une finition délicate propre à l'architecture normande. Les chaînes et les encadrements de brique rouge apportent une note de couleur à cette harmonie où dominent le blanc et le gris.

173 Sur cette habitation typique du pays de Caux construite en petits moellons calcaires, les chaînes et les bandeaux de brique affirment la géométrie rectiligne de la façade. Les menuiseries de couleur blanche accompagnent les tonalités claires de la pierre calcaire (région de Caudebec-en-Caux).

174

La brique est un matériau très utilisé dans la palette ponctuelle de la Haute-Normandie. Elle sert à la réalisation des soubassements, des encadrements, des chaînes et des souches de cheminées. Elle nervure parfois les façades de moellons, en bandeaux qui accentuent l'horizontalité de la composition. Ces rappels ponctuels animent les édifices de leur graphisme répétitif et de leurs chaudes tonalités.
Le soubassement a beaucoup d'importance dans la maison à colombage car il assure la solidité de l'ensemble. Sa composition varie localement en fonction des matériaux disponibles : silex, galets éclatés, briques ou moellons calcaires liés au mortier de chaux, employés seuls ou conjointement, en bandes horizontales ou en damiers. Du fait de sa hauteur et de la diversité des matériaux

175

174 Entre Etretat et Bolbec, Goderville est au cœur du pays de Caux. Les proportions et l'ordonnance de cette façade urbaine sont d'une rare qualité que mettent en valeur les couleurs délicates soulignant encadrements, chaînes et bandeaux. La dominante ocrée de la palette générale contraste avec le vert sombre de la devanture et le gris froid de l'ardoise.

175 Les palettes générale et ponctuelle de ce café de bourgade sont composées de gris colorés de valeur moyenne. C'est le contraste subtil entre le gris froid de la toiture et le vieux rose de la façade qui lui donne sa qualité visuelle (région de Dieppe).

177

176

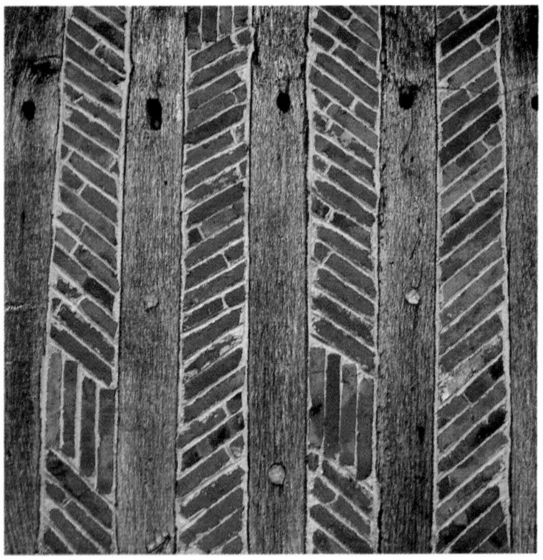

178

179

180

176 Sur les maisons normandes à colombage, le hourdis, constitué de torchis dans la plupart des cas, est parfois assuré par un remplissage de briques ou de tuileaux disposés géométriquement. Sur cet exemple, l'appareil de brique en épis propose une trame oblique de joints de mortier de chaux qu'encadrent les verticales régulières des « colombes » de bois grisé (Fervaques, dans le pays d'Auge).

177 Mur composite de l'église de Préaux-Saint-Sébastien (Calvados). L'ordonnance fantaisiste des différents matériaux – brique naturelle, brique vernissée, pierre et silex – évoque une tapisserie colorée d'une grande qualité picturale. En effet, l'assemblage orthogonal des matériaux est mis en valeur par leurs propriétés chromatiques : gris composé de la pierre, pointillisme des silex éclatés et graphisme de l'appareil de brique.

178 Mur de ferme, à Pont-Audemer. L'uniformité de la brique est rompue par la trame géométrique, en forme de losanges, des boutisses de brique sombre disposées en diagonales. Le jeu de couleurs d'un matériau est souvent à la base du décor architectural.

179 Cet appareil de silex éclatés et chaîne de pierre calcaire sur un mur du port de Honfleur montre que les couleurs intrinsèques d'un matériau sont renforcées par les jeux de lumière qui mettent en relief la texture de surface.

180 Mur composite à Varengeville-sur-Mer. Ce type de maçonnerie, où se juxtaposent des nervures horizontales de silex cassés en deux et des bandeaux de brique, est assez répandu dans le pays de Bray.
La présence des roses écarlates illustre la différence entre le rouge éclatant des fleurs et le rouge éteint de la brique. Ces deux couleurs appartiennent chacune à une famille spécifique : le rouge des pétales est d'un pigment saturé presque pur ; celui des briques est un oxyde rouge, mélange d'ocre et d'orange, grisé de terre d'ombre.

181

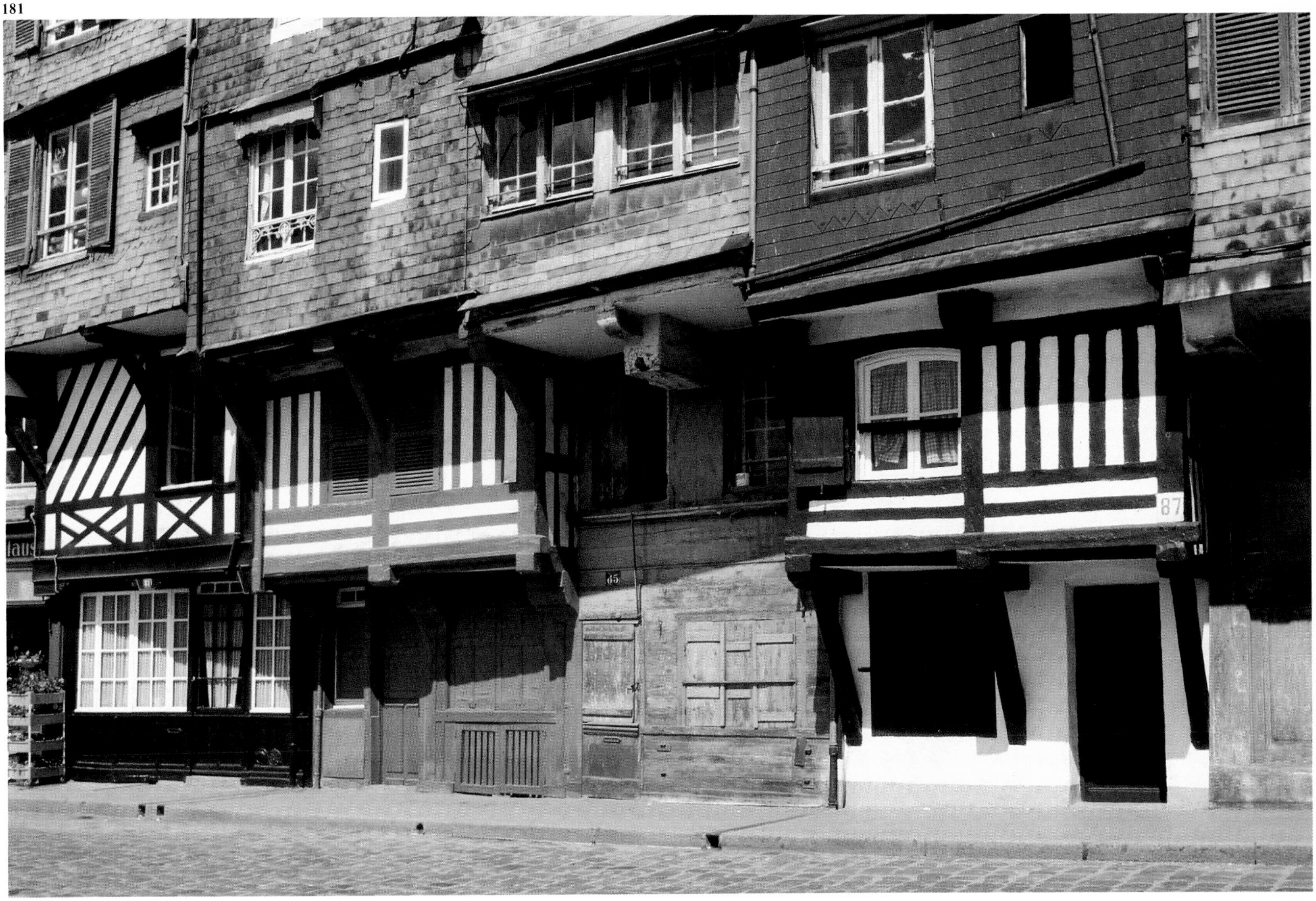

182

employés, le soubassement participe étroitement à la qualité visuelle de l'ensemble architectural dont il souligne l'horizontalité. Les menuiseries sont peintes dans une gamme de tonalités restreintes. Tandis que les fenêtres sont généralement blanches, les portes et les volets sont bruns, marrons ou verts, ou encore blanchis comme les fenêtres. Dans la maison à pans de bois, on remarque une recherche de symétrie évidente dans l'emplacement des ouvertures, dont les encadrements en bois sont un des éléments du colombage, et dans la répétition d'un module unique de vitrage pour les fenêtres. Cette régularité participe à l'intérêt rythmique et graphique de la façade normande.
En observant cette architecture, on ne peut s'empêcher de la comparer à l'architecture traditionnelle japonaise, et de noter la liaison intime qui s'établit entre la construction et son environnement naturel. L'équilibre des proportions et l'échelle fondamentalement humaine que dictent les dimensions des bois n'y sont pas étrangers.

181 A Honfleur, sur ces façades en encorbellement, le graphisme des colombages de la partie basse donne au niveau piétonnier une animation rythmique accentuée par le contraste clair-obscur. Les étages supérieurs sont revêtus d'essentages d'ardoises. Les valeurs sombres de l'ardoise sont éclaircies par la réverbération de la lumière.

182 En Normandie, la protection des murs les plus exposés à la pluie, surtout les murs à pans de bois particulièrement fragiles, est le plus souvent assurée par un essentage pour lequel les matériaux utilisés sont les bardeaux de bois, les tuileaux de terre cuite, les ardoises et, souvent, l'amiante-ciment coloré.

Sur le pignon en encorbellement de cette maison ancienne, l'ardoise de l'essentage est employée en un motif décoratif qui contribue à lui donner beaucoup d'élégance et de charme. Comme un simple fil peut devenir toile ou dentelle, un matériau, aussi sobre soit-il, peut prendre entre les mains de l'artisan créatif des qualités qui révèlent son art (Etretat).

183

183 Dans la région de Pont-l'Evêque, le pignon de cette grange, revêtu d'un essentage de planches horizontales, est d'une grande rigueur géométrique. La valeur sombre du bois traité prouve que le noir s'inscrit particulièrement bien dans la nature. Ce matériau très sombre est ici enrichi par les fines rayures d'ombre qui structurent la surface du bois. Les ombres des feuillages sont de même valeur que celles de l'architecture.

184

185

186

La Basse-Normandie

C'est une région où abonde la pierre, aussi la maison à pans de bois y devient-elle une exception. Il y a cependant de nombreuses constructions de pisé dans le Cotentin, le Bocage normand et surtout le Bessin où se voient d'étonnantes maisons à étage, aux chaudes tonalités ocrées.

La Basse-Normandie ne forme pas une unité géologique : à la plaine de Caen et au Bessin, avec leurs terrains jurassiques de roches dures, s'opposent le Cotentin et le Bocage qui, avec leurs plateaux granitiques et leurs vallées creusées dans le schiste, se rattachent au Massif armoricain.

C'est la pierre calcaire qui donne à la plaine de Caen son caractère chromatique. Débités en plaquettes, les moellons sont disposés en lits horizontaux, le plus souvent sans mortier, et ne sont enduits que sur les murs exposés aux intempéries ; cet enduit est de couleur sable ou gris coloré. Ces maisons de plaquettes calcaires sont généralement recouvertes de tuiles plates aux tonalités variant du rose au brun, mélangées sur le même toit et verdies par endroits en raison du développement de la mousse.

Regroupées en villages et privées d'environnement végétal, les maisons

184 Ferme du pays de Caux, entre Pavilly et Yvetot. Les pièces de bois, assemblées en forme de nervures de feuillage, conservent la courbure de la branche de chêne. Le contraste sombre-clair accuse davantage le caractère graphique de cette façade. On peut regretter l'agressivité du blanc trop cru des portes, qui nuit à l'harmonie de cet ensemble.

185 Le dessin accusé du colombage donne son caractère à cette petite maison rurale, située près de Fécamp. La couleur brune des « colombes » rappelle le brun des tuiles de la toiture que la mousse a légèrement verdies.

186 Cette habitation de ferme du pays de Caux présente un exemple de maçonnerie composite où pierre calcaire, silex et brique agrémentent l'ensemble de leurs proportions, de leurs matières et de leurs couleurs. Les volets sont d'une nuance proche de celle de la brique.

187

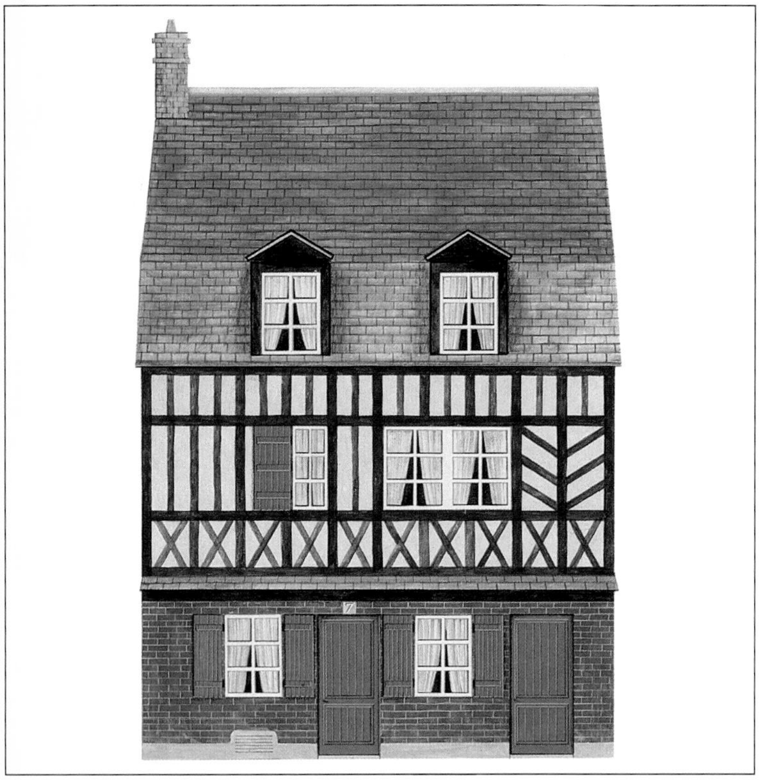

188

189

Ces dessins illustrent la palette architecturale et chromatique typique de la Haute-Normandie, représentée par la maison à colombage. C'est l'organisation graphique des pans de bois qui donne à la demeure normande son charme et son originalité.

Ces illustrations proposent quelques orientations chromatiques dominantes, à partir des relevés effectués dans cette région au cours des analyses de site. Elles peuvent être considérées comme un point de départ pour la conception d'harmonies nouvelles, en rapport avec les données de l'habitat traditionnel auxquelles on peut se référer dans les planches de synthèse.
En raison de leur volume, les toitures d'ardoises ou de tuiles plates ont une grande importance visuelle dans le paysage normand.

187 Sous la toiture d'ardoises gris neutre, l'enduit crème du hourdis fait ressortir, par opposition de valeurs, la trame graphique du pan de bois. Le rez-de-chaussée, en briques brunes, forme un contraste chaud-froid avec les menuiseries vertes des portes et des volets, tandis que les fenêtres blanches ressortent en clair sur le fond plus sombre.

188 Les tonalités de la façade se déclinent dans des valeurs assez proches où dominent l'ocre jaune des enduits et l'ocre rouge du colombage. Le gris neutre des portes et des volets, qui rappelle la couleur de l'ardoise, accompagne discrètement cet ensemble de couleurs chaudes.

189 La palette de cette grande maison rurale se résume à une échelle de valeurs d'une extrême sobriété : brun du toit et des « colombes », blanc du hourdis et des menuiseries, gris coloré du soubassement. Ici, c'est avant tout le graphisme du pan de bois sombre passé au brou de noix qui constitue la vraie coloration de la façade. La couleur donne alors un effet plus structurel que pigmentaire.

témoignent d'une certaine recherche esthétique dans l'ordonnance des ouvertures, l'ornementation des porches, le soin apporté aux encadrements et aux chaînes, réalisés en belle pierre de taille calcaire.
Les menuiseries sont de couleur claire. Elles concourent par leur simplicité à accentuer l'aspect classique et soigné de ces façades.
Dans le Cotentin et le Bocage normand, les matériaux de construction – grès, schiste et granit – donnent un tout autre visage chromatique aux constructions rectilignes qui regroupent souvent l'habitation et les bâtiments annexes.
En fonction des formations géologiques, l'architecture de cette partie de Basse-Normandie est très différente d'un lieu à un autre. Une constante, cependant : les joints apparents et les enduits extérieurs restent rares ; pourtant, dans le bocage virois, les moellons de schiste brun sont cernés par des joints de mortier de chaux clairs, car le schiste a tendance à s'effriter.
Dans le Cotentin, le granit détermine l'unité architecturale de maisons quelque peu austères. La palette ponctuelle est sobre. Dans les constructions de schiste, le granit est utilisé pour les encadrements d'ouvertures, ainsi que pour les chaînes et les souches de cheminées. Mais, en l'absence de pierres de grande taille, on recourt volontiers à la brique, surtout pour les souches de cheminées qui sont l'objet d'un soin tout particulier et qui contrastent alors avec la physionomie sévère du reste de l'habitation.
On ne peut terminer ce tour d'horizon de la palette normande sans dire un mot des maisons de brique qui sont présentes un peu partout en Normandie. Elles se sont répandues dans toute la province, à partir du milieu du XIXe siècle, lorsque s'est généralisée la fabrication industrielle de la brique. Ces maisons à un étage témoignent d'une recherche architecturale dans la rigueur de leur composition et dans l'harmonie de leurs proportions. De style néo-classique, ces façades dépouillées seraient sévères si elles n'étaient agrémentées par des bandeaux horizontaux, des chaînes verticales, des chaînes d'angle et des encadrements en pierre de taille dont la claire tonalité contraste très heureusement avec la teinte plus soutenue des briques, opposition encore renforcée par la blancheur des menuiseries.

190

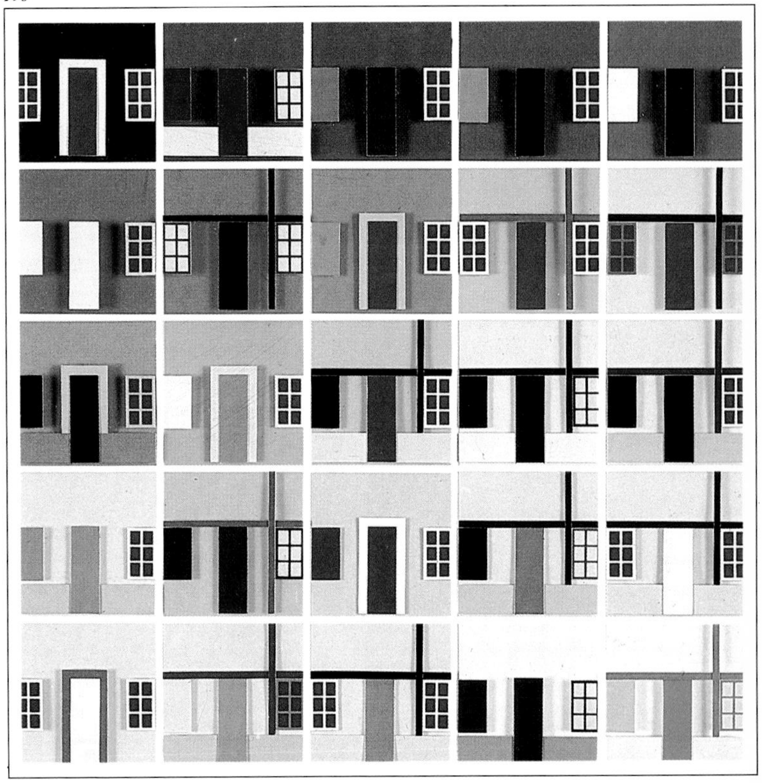

191

190 Cette synthèse très schématique des tonalités dominantes de l'architecture normande met en valeur trois groupes principaux de couleurs, qui correspondent aux matériaux utilisés pour la palette générale : les bruns et ocres de la brique, le blanc crème des enduits et de la pierre calcaire, et les gris de l'ardoise encore fréquemment utilisée en essentes.
Sur les couleurs des façades sont superposés les éléments de la palette ponctuelle. Comme c'est la tradition en Normandie, les « colombes » gardent les tonalités du bois naturel, tandis qu'en Alsace et au Pays basque elles sont recouvertes de peintures aux tonalités variées. Les menuiseries des portes et des volets font surtout usage de marrons, de bruns, parfois de gris ou de verts soutenus. Les fenêtres sont généralement peintes en blanc ou en couleurs très claires.

191 Cette synthèse est le résultat de l'étude poursuivie en 1972 au Vaudreuil, avant la construction de la ville nouvelle.
Sur cette planche, figurent les couleurs des toitures dont les matériaux sont l'ardoise, la tuile plate ancienne et la tuile mécanique récente.
On constate que les couleurs des façades de cette ville, située en Haute-Normandie, sont les mêmes que celles de la synthèse générale, mais dans des proportions légèrement différentes.

L'Alsace et la Lorraine

192

L'Alsace est une plaine étirée en longueur, qui s'étend entre les Vosges et le Rhin. Dans ce pays d'exploitations familiales de petites dimensions, on pratique une polyculture intensive à base de céréales. Pendant des siècles, les paysans se sont groupés au milieu de leurs terroirs, dans des villages gais et pimpants, très différents des austères villages lorrains. L'habitat alsacien est essentiellement rural. Aujourd'hui encore, seul un quart de la population vit dans les villes. Fait remarquable : la fidélité des habitants aux traditions rurales et la vivacité du sentiment communautaire qui les unit.

192 Ce village niché au cœur des vignobles, à l'abri des collines vosgiennes, s'étale dans la vallée de la Fecht, entre Munster et Turckheim. Ses proportions, ses formes géométriques, les valeurs contrastées de ses toitures sombres et de ses façades claires caractérisent ce village alsacien.

193

193 Les tons gris, blancs et crème des enduits et le camaïeu brun-rouge des tuiles sont, sur cette place de Ribeauvillé, les dominantes colorées de la palette générale, tandis que la palette ponctuelle est représentée par le gris et le rose des encadrements et des soubassements, le vert des volets et le brun sombre des colombages au graphisme contrasté.

194

195

196

194/197 Mises en parallèle, ces deux habitations de Blienschwiller, au nord de Sélestat, sont de proportions identiques. Il est particulièrement intéressant de constater l'importance des éléments visuels – matériaux et couleurs – grâce auxquels s'exprime leur identité respective. Tandis que l'une d'elles présente une coloration sobre et peu contrastée, où les volets se détachent en valeur claire sur le vert amande de l'enduit, l'autre, avec ses volets verts et ses colombages brun foncé, affirme sa modénature en contraste clair-obscur sur le fond crème de la façade.

195 Cet ensemble de façades urbaines sur le quai Saint-Martin à Strasbourg, est un rappel des tonalités vives qui étaient en usage autrefois, ainsi qu'en témoignent les dessins polychromes datant de cette époque : jaune safran, rouge sang de bœuf, vert et ocre.

196 Peindre une maison, se dit en alsacien : « a Hüss wissle », ce qui veut dire blanchir une maison. La palette générale de Molsheim illustre fidèlement cette expression avec ses façades blanchies que ponctuent les encadrements de granit rose et les menuiseries vert clair ou ton bois.
Comme c'est la coutume en Alsace, des jardinières de fleurs apportent une animation ponctuelle très gaie et colorée.

197

198

Palette générale

Dans les villages, les maisons à plusieurs étages se succèdent le long des rues, mais sont souvent perpendiculaires aux axes de circulation. Les bâtiments sont disposés autour d'une cour dont un des côtés donne directement, à travers la grange, sur les vergers et les champs.

La physionomie générale du village alsacien est très harmonieuse et, pourtant, les matériaux de construction sont relativement variés. Dans les régions montagneuses, les murs sont en grès des Vosges aux tonalités chaudes et changeantes. La plaine est le domaine de la maison à colombage dont les pans de bois se détachent sur les murs de valeur claire. C'est elle qui est représentative de l'habitat alsacien. On peut admirer l'extraordinaire richesse de composition de

198 Régulièrement refait, l'enduit épais qui recouvre le torchis des maisons à colombage fait une découpe en relief, en bordure des pièces de bois. Le rose fabriqué à base d'oxyde rouge est l'accompagnement privilégié du gris coloré du bois ancien.

Cette habitation de Kaysersberg offre une délicate harmonie colorée aux dominantes chaudes entre les bruns, les roses et la ponctuation claire des menuiseries. Le petit banc rouge orangé apporte un contrepoint de couleur vive à cet ensemble de colorations atténuées.

199

200

201

202

199 Maison natale du docteur Schweitzer, à Kaysersberg. La toiture est en *Biberschwänz*, tuiles plates à bout arrondi en « queue de castor » telles qu'on les fabrique à Altkirch. Les enduits sont de deux tonalités chaude et froide, et de valeurs identiques : ocre et gris-vert. La palette ponctuelle se décline dans un registre de bruns et tons bois, en excellente relation avec la toiture.

200 L'agencement des pièces de bois des maisons alsaciennes, différent d'une façade à l'autre, revêt une signification symbolique : la croix de saint André repousse la malédiction, le losange (droit ou incurvé) est synonyme de bonheur. En Alsace, plus que partout ailleurs, on constate cette volonté d'écarter le mauvais sort par tous les moyens graphiques, mêlant symboles chrétiens et signes païens (Riquewihr, Haut-Rhin).

201 La qualité des maisons et la richesse de leur ornementation font la réputation du village de Riquewihr dont certaines maisons datent du XVIe siècle. Ici, la vigne vierge agrémente le caractère rectiligne des pans de bois et s'associe à la tonalité des volets pour renforcer le contraste complémentaire chaud-froid du vert sur l'ocre rouge du crépi.

202 Dans le village de Weyersheim, au nord de Strasbourg, quelques maisons sont peintes dans des bleus affirmés. La gamme des bleus de ce pignon à pan de bois, datant du XVIIe siècle, témoigne d'un excellent contraste de qualité : bleu clair de l'enduit, bleu turquoise des volets de l'étage et bleu moyen des volets du rez-de-chaussée. Cette couleur, que l'on trouve dans le Kochersberg, la grande plaine agricole, ou le pays de Hanau, répond à une coutume catholique, le bleu étant par tradition la couleur de la Sainte Vierge. En revanche, le rouge sang de bœuf est, dit-on, réservé aux familles protestantes. C'est un exemple précis de la dimension sémiologique des couleurs au sein de la vie sociale, culturelle et religieuse.

203

204

205

cette architecture. L'agencement des pièces de bois est, en effet, différent d'une maison à l'autre. Il entraîne des variations de décor infinies avec, cependant, une prédilection pour les figures à base de carrés et de rectangles, les pièces obliques étant parfois assez voisines de la verticale. Les pans de bois horizontaux dominent en Alsace alors qu'en Champagne et en Normandie le colombage exprime un rythme plus vertical. Les figures géométriques se détachent en valeur sombre sur le fond clair de l'enduit, car le chêne est teinté au brou de noix (on utilisait à l'origine un mélange de sang de bœuf et de brou de noix, fixé au vinaigre), tandis que le torchis des maisons rurales est régulièrement passé au lait de chaux par mesure d'hygiène.
Si, de nos jours, la majorité des maisons alsaciennes à colombage sont blanches, on trouve encore des enduits très colorés, dans toute une gamme d'ocres roses et jaunes, dans le pays de Hanau, à Bouxwiller en particulier, et des maisons peintes en bleu dans les villages catholiques du Kochersberg ou du pays de Hanau, le bleu étant traditionnellement la couleur de la Sainte Vierge. A Strasbourg, où dominent les crépis blancs, gris et jaunes, subsistent cependant des tonalités plus vives : bleus, verts et

203 Cette maison de Turckheim se décline dans une gamme dominante terre de Sienne, dont on peut constater la richesse colorée. Le pan de bois brun foncé et les volets verts apportent leur note de couleur contrastante. Les jeux d'ombre et de lumière animent la modénature de cette façade.

204 Selon une coutume alsacienne très ancienne, un motif peint décore cette façade de Riquewihr. Deux qualités d'ocre composent la palette générale : sur l'ocre rouge qu'accompagne un ocre jaune plus clair se détache, en contraste chaud-froid, le gris bleuté des volets.

205 Les tuiles traditionnelles « en queue de castor » opposent leurs vibrations colorées brunes et rouges au blanc uniforme de la façade. Le vert des volets, dont la valeur est la même que celle des tuiles, est en contraste complémentaire et souligne la modénature rigoureuse de cette maison du quai de la Petite-France, à Strasbourg.

206

207

208

rouges, dont l'usage était autrefois beaucoup plus répandu. Parfois l'enduit épais déborde sur les pans de bois et sa découpe forme un décor géométrique en volume.
En plus du bois, du grès rose et des enduits, on rencontre aussi la pierre blanche.
Une toiture à forte pente et à deux versants coiffe ces divers matériaux. Ce sont des tuiles plates ou taillées en forme d'écaille (fabriquées en grande partie à Altkirch) qui couvrent les toits pointus de leurs chaudes tonalités roses et brunes.

206 L'enduit qui recouvre le torchis des colombages est souvent rehaussé d'un galon de couleur qui court le long du poutrage à quelques centimètres de celui-ci (Riquewihr).

207 Sur les vieilles maisons de Riquewihr, le galon de couleur épouse le dessin des écharpes obliques qui contreventent les cadres des colombages et les motifs « en chaise curule » qui décorent cette façade en encorbellement. La palette générale se décline dans une gamme d'ocres et de gris colorés en camaïeu.

208 Ce pignon à pan de bois de Dietwiller, près de Mulhouse, est un exemple très significatif d'une écriture architecturale où la couleur joue un rôle important. Celle-ci est étroitement liée à l'ordonnancement géométrique des éléments : inclinaison de la toiture, organisation symétrique des pièces de bois dans laquelle s'inscrivent les ouvertures.

La couleur est, ici, avant tout dans le jeu des valeurs : noir des « colombes », gris structuré du crépi, blanc des fenêtres et des filets d'encadrements. Dans cette composition géométrique qui rappelle les toiles de Mondrian, les volets, ton bois, prennent toute leur intensité pigmentaire.

209

210

211

Palette ponctuelle

En Alsace, la décoration florale des maisons constitue un véritable élément de la palette ponctuelle, impermanent car soumis au rythme des saisons. Chaque été, les habitants fleurissent abondamment fenêtres, balcons, murets et fontaines, de roses, de géraniums ou de pétunias.

Les encadrements d'ouvertures, les soubassements et les souches de cheminées viennent encore enrichir de leurs textures et de leurs couleurs une palette déjà généreuse. L'ossature de bois de la maison à colombage repose sur un soubassement de pierre destiné à le protéger de l'humidité du sol. Ce soubassement est le plus souvent en grès rose ou rouge extrait des carrières des Vosges, et atteint parfois la hauteur du rez-de-chaussée. C'est le même matériau qui est utilisé pour

209 Porte d'entrée cintrée, chaudement encadrée par le grès des Vosges, sur cette maison de Quatzenheim (Bas-Rhin) qui date de 1820. Nombre d'édifices portent des inscriptions de dates, comme c'est le cas ici, diverses sentences ou devises relatives au rang social ou à l'activité professionnelle du propriétaire.

210 Cette élégante charcuterie de Colmar montre que l'architecture alsacienne traditionnelle fait souvent l'objet de décorations peintes qui rappellent les enluminures du Moyen Age.

211 Maçonnerie de grès rose, liée au mortier de chaux. Le grès des Vosges, dont les couleurs se déclinent du rose au rouge violacé, en passant par des demi-teintes de gris ocrés, est un élément caractéristique du vocabulaire chromatique de l'architecture alsacienne (soubassement d'une maison ancienne de Mundolsheim, Bas-Rhin).

212

213

les encadrements des ouvertures pratiquées dans le soubassement, et pour les chaînes d'angle, à moins que l'on n'emploie le granit gris, comme c'est le cas au sud de la vallée de la Bruche. Quant aux encadrements des étages supérieurs, ils sont en bois recouvert de peinture à l'huile.

Sur les linteaux de grès rose sont souvent sculptés des chiffres, des dessins symboliques ou des invocations religieuses, destinés à protéger du mauvais sort.

Les souches de cheminées aux formes variées, que l'on voit s'élancer au-dessus des toits pointus, sont l'objet, elles aussi, d'une évidente recherche décorative.

En ce qui concerne les menuiseries, les couleurs les plus utilisées sont le blanc pour les fenêtres et les bruns pour les portes qui s'harmonisent avec les couleurs des toitures. Les volets, pleins ou ajourés d'une figurine, traditionnellement passés au brou de noix, marquent une préférence pour le blanc et le vert.

212 Ce détail de maison est un exemple de contraste de tonalités très affirmées : vert, rouge, bleu, gris et brun. Le brun-rouge de l'encadrement permet une bonne transition entre le bleu chaud du mur et le vert des volets (Weyersheim, Bas-Rhin).

213 Le colombage et l'encadrement se détachent en contraste clair-obscur sur le fond blanc de cette maison d'Itterswiller (Bas-Rhin). La tonalité carminée des volets rappelle la pigmentation violacée du grès des Vosges.
Les illustrations de la page 113 montrent les tendances chromatiques dominantes de l'habitat alsacien.

Le caractère architectural très affirmé de ces maisons illustre clairement son identité régionale. Ici, la forme est encore plus significative que la couleur : volumes, inclinaison des toitures, proportion des ouvertures, hauteur des soubassements et particularités dans l'agencement du pan de bois.
Ces illustrations proposent quelques orientations chromatiques définies à partir des relevés effectués en Alsace au cours des analyses de site. Elles peuvent être considérées comme un point de départ pour la conception d'harmonies nouvelles, en rapport avec les données de l'habitat traditionnel auxquelles on peut se référer dans les planches de synthèse.
Ces dessins montrent, en outre, que les toitures alsaciennes, en raison de leurs formes et de leurs volumes, ont une grande importance visuelle dans le paysage ; elles sont couvertes de tuiles plates ou en écailles, dans une gamme allant du rouge orangé au brun.

214

215

216

217

218

214 Sur une palette générale à dominante chaude : toit rouge-brun, colombage vieux bois, enduits rose et beige, les volets verts contrastent de leur couleur froide. Les fenêtres blanches éclairent l'ensemble, et leur teinte fait chanter l'harmonie de cette palette.

215 Une tonalité dominante caractérise cette façade dont les hourdis sont couverts d'un enduit à base de terre de Sienne. La teinte beige du soubassement maçonné, ainsi que les gris des volets et des « colombes » contrastent subtilement avec ce ton ocre. La porte et les fenêtres reprennent les bruns foncés du toit.

216 Le vert de l'enduit forme un camaïeu avec le vert de valeur plus sombre des volets. Comme en témoignent les planches de synthèse, le vert est une tonalité très répandue en Alsace sur la palette générale et sur la palette ponctuelle. Les encadrements et le soubassement sont en grès beige, tandis que les autres teintes se déclinent du brun sombre de la toiture et des « colombes » au ton bois naturel des fenêtres.

217/218 Cet ensemble de cinquante façades est la synthèse chromatique des maisons répertoriées en Alsace. Les couleurs dominantes des enduits se répartissent en trois grandes familles :
- les tonalités chaudes comprenant essentiellement des ocres jaunes et des oxydes rouges ;
- les tonalités froides représentées par les verts et les bleus ;
- les tonalités neutres que sont le blanc et le gris.

Dans le même registre, les couleurs des menuiseries viennent compléter celles de la palette générale ; elles sont le plus souvent choisies dans une modulation de bruns clairs ou foncés et dans une gamme de verts tendres. Les colombages sont généralement traités dans des valeurs sombres qui font ressortir le dessin géométrique des pans de bois sur le fond d'enduit.
Le vert, le bleu et le jaune sont des couleurs que l'on trouve rarement dans les autres régions et qui donnent à l'Alsace son caractère chromatique original.

219

219 Cette élégante façade rurale de Herbitzheim (Bas-Rhin) est très représentative de l'habitation traditionnelle alsacienne. Sous son grand toit de tuiles en écaille brunes, les murs sont recouverts d'un enduit ocré sur lequel ressortent, en valeur claire les volets de couleur blanche, en valeur foncée les portes de couleur brune. Les encadrements de grès des Vosges apportent une touche délicate à cet ensemble.

220

La Lorraine comprend l'ensemble des pays qui s'étendent de la crête des Vosges à l'Argonne. Elle a une véritable unité visuelle grâce à l'aspect caractéristique de ses villages. Le climat rude, de tendance nettement continental, renforce ce sentiment d'unité. Le sous-sol voit alterner roches dures et roches tendres. Le grès affleure en Lorraine orientale ; dans la plaine centrale où s'étend la région industrielle apparaît un mélange de calcaires coquilliers et de marnes du Lias et du Trias (rouges) ; enfin, à l'ouest, de hauts reliefs calcaires dominent des dépressions argileuses.
Les caractères de l'habitat lorrain sont très spécifiques à cette région. Dans les campagnes, l'habitat dispersé est rare ; les fermes sont de préférence groupées en villages où elles sont accolées les unes aux autres le long d'une rue. La maison, réduite en largeur, s'étire en profondeur perpendiculairement à la rue. La façade présente trois ouvertures principales : une vaste porte charretière, généralement cintrée, qui ouvre sur la grange et deux portes plus basses qui mènent, l'une aux écuries, l'autre à la cuisine. Les fenêtres, elles, sont petites et se situent au premier étage lorsqu'il y en a un.

220 Vaste tache brune parmi la végétation d'un vert intense, le village de Wittring (Moselle) présente une grande unité par la coloration de ses toitures de terre cuite. La perception globale de cet ensemble permet de mesurer l'échelle de clarté des éléments permanents et impermanents, comparés au blanc éclatant des draps qui sèchent au soleil.

221

222

223

224

225

Palette générale

Les grands toits asymétriques, faiblement inclinés, des maisons lorraines contrastent avec les toits à forte pente des régions de l'Est. Ils concourent à accentuer le caractère original de cette architecture relativement massive certes, mais remarquable par la qualité de ses proportions. On remarque, en particulier, le très bon équilibre entre la masse des toitures et celle des façades.

Bien que la tuile mécanique rouge foncé soit de plus en plus utilisée et que l'on puisse voir des tuiles plates au nord du plateau lorrain, le matériau de couverture traditionnel reste la tuile canal dont les chaudes tonalités varient de l'ocre clair au brun sombre.

La masse des toitures, serrées les unes contre les autres à l'intérieur du village, constitue l'élément visuel dominant de l'habitat lorrain. Les murs sont souvent en moellons calcaires de médiocre qualité, liés au mortier de terre, puis enduits d'un crépi coloré par des agrégats naturels (sable, poussière de pierre). Les enduits sont beiges, gris-beige, ocre ou vieux rose, et d'une couleur beaucoup plus soutenue sur les maisons anciennes restées fidèles à une tradition locale, comme dans le village de Saint-Clément (Meurthe-et-Moselle). On extrait des pierres tendres des carrières de Savonnières, Brillon-en-Barrois et Ville-sur-Saulx, dans la région de Bar-le-Duc, et des moellons jaunes dans la Woëvre. Les collines gréseuses de la Vôge, au sud, fournissent un matériau très dur qui permet un bel appareillage à sec, aux chaudes tonalités beige rosé.

Palette ponctuelle

Les ouvertures constituent pratiquement les seuls éléments décoratifs de la façade. En plus des trois ouvertures principales – porte d'habitation, porte d'écurie et porte charretière, qui est, ou cintrée, ou rectangulaire, ou en anse de panier –, on note une multitude de percements de tailles et de formes variées.

Les encadrements sont généralement en pierre de taille ou en grès, matériaux également réservés aux chaînes d'angle.

Les ouvertures sont souvent entourées d'un bandeau de couleur dont la tonalité contraste avec celle du mur, ce qui contribue à souligner la modénature de l'architecture. Les menuiseries, elles, sont peintes dans des tonalités qui contrastent peu avec celles de la façade, formant parfois avec celles-ci des harmonies en camaïeu, allant du blanc au brun sombre, en passant par les beiges et les tons bois. Fenêtres et volets sont le plus souvent de couleur gris très clair.

221 Alignement de façades urbaines à Nancy. La grande sobriété de cette palette, fondée sur les tonalités couleur pierre des menuiseries et des enduits, met en valeur l'importance des jeux rythmiques et graphiques dans le cas d'une architecture répétitive. Ici, la couleur ne provient pas des contrastes de tonalités, mais de la richesse structurelle de la chaîne et de la trame du tissu architectural.

222 Cette cour d'habitation, à Viviers-sur-Chiers (Meurthe-et-Moselle), montre toute l'importance structurelle du sol dans l'appréhension d'un ensemble architectural. Les menuiseries des bâtiments créent un clair-obscur avec l'enduit sombre des façades. La porte en bois verni présente un décor de menuiserie en forme d'arbre de vie, figure magique protectrice.

223 La vaste toiture de tuiles rouge orangé domine la palette générale de cette maison de Wittring. Sur la façade de crépi vert, les encadrements de grès rose de même valeur se découpent avec netteté par contraste complémentaire.

224 Ces deux façades mitoyennes, à Gondrecourt-le-Château (Meuse), allient à la simplicité de leurs lignes une gamme chromatique tout aussi sobre. Les gris chauds des enduits sont fortement éclairés par le blanc des encadrements qui contraste avec les tonalités crème de la porte et des volets. Ce paysage urbain démontre, de manière évidente, que l'environnement immédiat, en particulier le sol, participe de façon importante à la qualité visuelle de l'ensemble, tout en camaïeu.

225 Les volets gris de cette façade à Cons-la-Grandville (Meurthe-et-Moselle) provoquent un phénomène de contraste simultané avec le rose violacé de l'enduit de la façade ; par phénomène optique, le gris des volets paraît plus bleu qu'il ne l'est en réalité. La toiture est en tuiles canal, comme il en existe encore beaucoup en Lorraine.

226

227

228

229

230

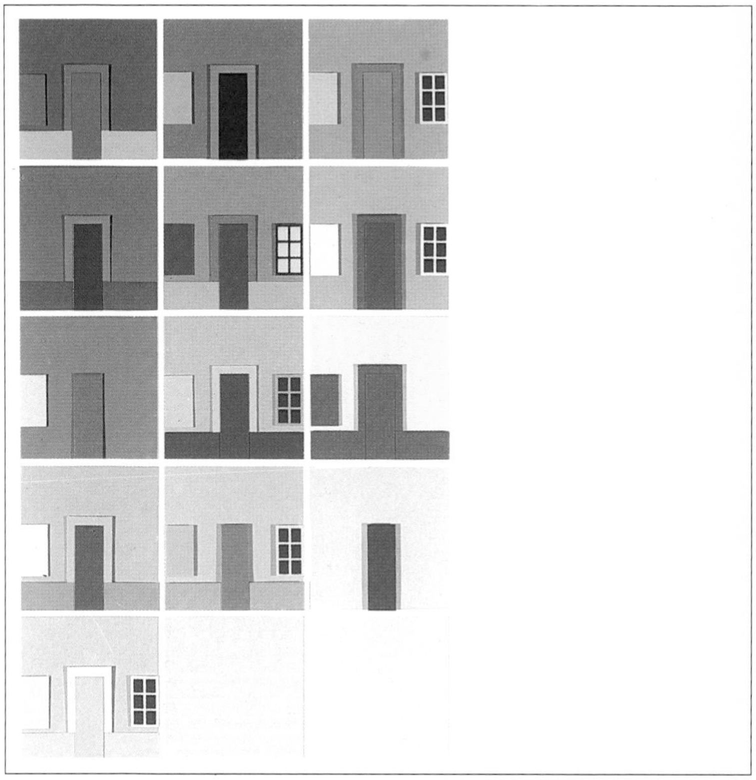

226 Le bleu charrette ou bleu charron, dont l'origine nous est inconnue, est composé d'un mélange de bleu de Prusse et de sulfate de baryte. C'est la couleur des hommes du bois — charrons et charpentiers — dans la tradition du compagnonnage.

227 Ces deux portes sont bleu charrette, couleur dont on peignait traditionnellement les charrettes autrefois. Sous le décollement de l'épais crépi à base de sable, on peut percevoir la nature des matériaux employés pour la maçonnerie du mur : moellons de grès liés au mortier de terre (Bayecourt, Vosges).

228 Alignées et mitoyennes, les maisons anciennes des villages lorrains présentent un intéressant équilibre dans l'ordonnancement de leurs ouvertures. Cette maison révèle les trois fonctions de l'habitation : la grande porte charretière s'ouvre sur la grange, une autre plus petite mène à l'étable ou à l'écurie, tandis que les autres ouvertures concernent l'habitation proprement dite (Verdun, Meuse).

229/230 La synthèse des couleurs des façades lorraines est très marquée par les gris des crépis tyroliens ou des enduits à la chaux, ou autres crépis à base de chaux, dont les valeurs sont en Lorraine relativement foncées. Quelques crépis verts et bleus rappellent la proximité de l'Alsace. A ces particularités régionales s'ajoute l'ocre jaune soutenu.

Ces façades sont agrémentées par une animation ponctuelle diversifiée qui se répartit sur les encadrements, les soubassements, les portes, les fenêtres et les volets. Quelques constantes se dégagent cependant de cette diversité. Les encadrements sont ocre jaune, ocre rose ou ocre rouge. Les tons bois et bruns de valeur claire caractérisent la couleur des portes, souvent différente de celle des volets. Quant aux soubassements, ils contrastent peu avec la tonalité des enduits.

La Franche-Comté

231

231 Vue générale de la petite ville d'Arbois, photo prise le 25 mars 1989. La lumière du matin fait chanter la couleur de la pierre ocre doré du clocher de l'église Saint-Just élevée au XVIe siècle.

La palette brun-rouge sombre des toitures en tuiles plates a des tonalités qui sont presque en homochromie avec la couleur de la pierre que l'on aperçoit sur les collines de vignobles. Comme c'est le cas dans la plupart des paysages de montagne, la vue plongeante que l'on peut avoir sur ce bourg permet de prendre conscience de l'importance de la couleur des toitures et du choix de leurs matériaux.

232

233

La Franche-Comté est une province frontière qui regroupe les départements du Jura, de l'Ain et du Doubs. Elle est traversée par la montagne jurassienne qui s'étend en arc de cercle entre le Rhin et le Rhône. Ici sont plus particulièrement étudiées les couleurs propres au département du Jura qui recouvre des terrains variés : au sud-est, les chaînes calcaires parallèles de la montagne jurassienne ; au nord-ouest, le plateau calcaire profondément entaillé par l'Ain, le Doubs et ses affluents. Sur le rebord oriental de ce plateau, on trouve des plaines fertiles propices aux cultures. Le long des reliefs marginaux du Jura s'étendent les vignobles. Les parties élevées de la montagne portent de magnifiques forêts de sapins et d'épicéas dont les teintes verdoyantes sont dues aux nombreuses précipitations apportées par les vents de l'Atlantique. Le bois, qui est scié dans la montagne, est un matériau très largement utilisé lors de la construction de la maison jurassienne.

232 A Poligny, vue en perspective de la rue des Rondins que borde une rangée de maisons viticoles qui présentent une coloration particulièrement riche, due surtout aux enduits ocre ou terre soutenue et aux toitures de tuiles brunes. La palette ponctuelle dessine et colore agréablement les éléments de détail de cet ensemble. On peut toutefois regretter la fâcheuse tendance à supprimer l'enduit protecteur pour mettre à nu un appareillage qui n'était pas destiné à l'être.

233 L'architecture de ces maisons mitoyennes de Poligny est caractérisée par l'importance des toitures de tuiles plates qui occupent plus de la moitié de la palette générale. La qualité brun-rouge du matériau de couverture crée un contraste clair-obscur très affirmé avec la palette des enduits clairs qui recouvrent les murs de façade. Ceux-ci se déclinent dans une gamme de beiges sable et de tons ocrés que ponctue sobrement le gris moyen des menuiseries.

234

235

Palette générale
A travers la diversité de l'habitat du Jura, se dégage une grande constante. En effet, qu'il s'agisse de maisons de montagne, de maisons agricoles ou vigneronnes, toutes les fonctions d'habitation et d'exploitation sont réunies sous le même toit.
La maison paysanne des régions agricoles a la forme d'un rectangle plus ou moins allongé. Ses murs sont généralement édifiés en moellons bruts liés au mortier de terre et enduits au mortier de chaux.
Dans la Bresse jurassienne, cependant, les maisons agricoles ont une physionomie particulière à cause de la nature des matériaux employés pour la construction : les murs sont montés en pans de bois reposant sur des poutres horizontales ou sur un soubassement en pierre. Le remplissage propose la chaude palette des tonalités de la pierre, argile crue sur les maisons les plus anciennes, appareillage de briques sur les autres.

234 A Lons-le-Saunier, la place Bichat présente des contrastes de valeurs entre les toits d'un rouge profond et les façades claires, que l'on trouve généralement dans cette région du Jura. Peu de contrastes, en revanche, entre les menuiseries gris clair ou blanches et la palette des murs uniformément blancs. Cependant, les encadrements laissent apparaître la couleur blonde de la pierre.

235 Élégant camaïeu de beiges sable sur cette petite maison typiquement vigneronne, rue Gillois à Arbois. La porte de la cave en demi-lune évoque la réserve de chais où se préparent les fameux vins du pays.
On peut évoquer le souvenir de Pasteur se promenant dans cette rue parallèle à la petite rivière de la Cuisance, toute proche de la maison de son enfance.
Cette maison fait partie des relevés qui figurent sous forme de synthèse à la fin de cette région.

236

236 Construite au cours des XIIe et XIIIe siècles, l'église Saint-Jean-Baptiste de la Peyrouse fut l'église paroissiale de Baume-les-Messieurs jusqu'à la Révolution. Depuis lors, c'est l'église de l'abbaye qui est devenue église paroissiale, tandis que les obsèques continuent à être célébrées à la Peyrouse. Chaque année, au mois de juin, une messe solennelle rassemble les communautés voisines, à l'occasion de la Saint-Jean. Extraite des carrières de Crançot, la pierre du pays a fourni le matériau de la maçonnerie. Les laves de la couverture proviennent de lits plus minces de cette même carrière. Une grande partie de la toiture est couverte de petites tuiles plates brunes dont la tonalité dominante rappelle la couleur de la terre fraîchement labourée. En cette période de Pâques, la coloration générale du paysage se répartit en trois tonalités dominantes : l'ocre de la terre et des tuiles, le gris des branchages et de la pierre, et le vert de la prairie. Les vignobles des « Côtes du Jura » apportent à ce paysage d'une unité remarquable leur contrepoint rythmique.

237

238

239

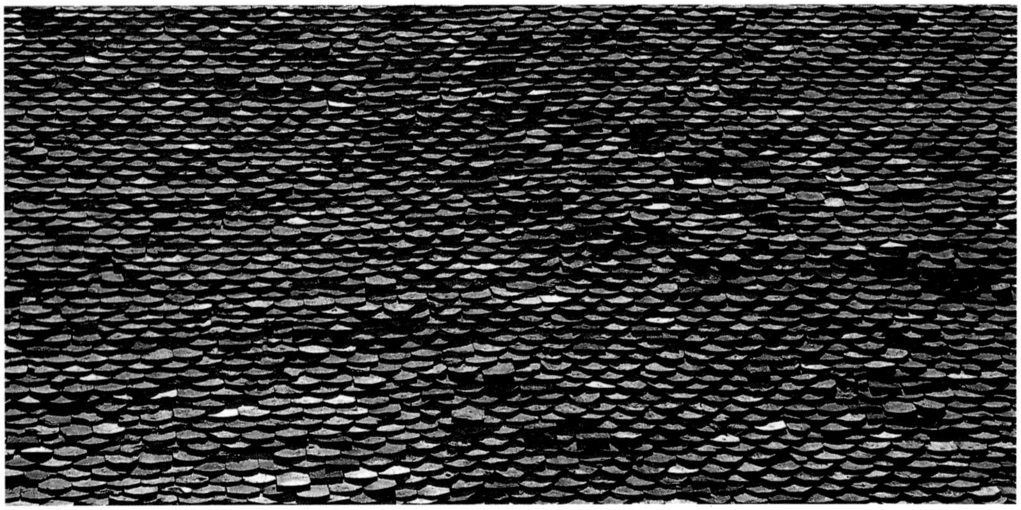

La palette des toits s'étend du rouge plus ou moins vif de la tuile mécanique moderne aux couleurs subtiles de la tuile plate, dont la gamme de bruns chauds aux teintes variant suivant les régions, car elle est de fabrication locale, coiffe la plupart des maisons. Matériau traditionnel de couverture, la tuile canal subsiste dans le sud du Jura, sur les maisons bressanes de la région de Saint-Amour, et remonte le long du vignoble jusqu'à Arbois ; ses nuances sont plus claires que celles de la tuile plate. Autres matériaux traditionnels des toitures, dans ces régions de montagne, les lauzes couvraient, en particulier, les maisons du premier plateau du Jura, et le chaume celles de la Bresse et de la région doloise, mais ils ont pratiquement disparu aujourd'hui. Les maisons vigneronnes de Franche-Comté témoignent de la présence d'un vignoble qui, au siècle dernier, s'étendait du nord au sud de la chaîne jurassienne et qui, à présent, ne subsiste plus que dans le département du Jura. On rencontre principalement ce type de maison, étroite et haute, dans la ville de Lons-le-Saunier et dans les gros bourgs viticoles. Les celliers et les caves voûtées occupent tout le rez-de-chaussée de la maison et l'habitation se trouve à l'étage. Celui-ci est surmonté d'un grenier éclairé par une lucarne. La cave est parfois complètement enterrée. Les matériaux utilisés pour les murs et les toits des maisons vigneronnes, et par conséquent leurs palettes de couleurs, sont identiques à ceux des maisons agricoles. Quant à la maison de montagne, elle est caractérisée essentiellement par sa vocation pastorale et la lutte contre le froid, d'où l'importance de la grange qui couvre l'ensemble du bâtiment, l'épaisseur des murs et l'exiguïté des ouvertures. La palette des murs de la maison pastorale est fournie par les couleurs de la pierre – gros moellons calcaires ou pierres de taille autrefois extraites des nombreuses carrières –, par les crépis à base de chaux et par les revêtements de tavillons ou de tôles qui protègent le mur pignon le plus exposé. Les tavillons sont de fines planchettes d'épicéa qui servaient également à couvrir les toits, tout comme les ancelles, planches de sapin plus grandes et plus grossières.

237 Cette ferme très ancienne de Montigny-lès-Arsures, près d'Arbois, aux matériaux usés par le temps et les intempéries, n'est pas sans rappeler la carapace de quelque animal préhistorique. Les murs de moellons grisés, assemblés régulièrement en lits horizontaux, accrochent magnifiquement la lumière du midi qui met en relief la structure de cet appareillage. La toiture de lauzes grisées prolonge fidèlement la couleur de la façade.

238 Toiture en tuiles de forme écaille d'un bâtiment agricole de Vers-en-Montagne, au nord de Champagnole. La composition de la terre d'origine, la variété des temps de cuisson, la position des tuiles dans le four, ainsi que la patine du temps ont engendré une répartition aléatoire de ces couleurs chaudes aux nuances innombrables. Leur disposition rythmique en trame fine et régulière crée un jeu de fond qui évoque certaines œuvres de Paul Klee.

239 Contre-jour sur une toiture en ardoises taillées en forme d'écailles de poisson au Pasquier, près de Champagnole. Le dessin régulier de la texture, qui ressort nettement grâce aux jeux d'ombre et de lumière, donne une qualité exceptionnelle à la surface de cette couverture ancienne, malgré l'absence de couleur apparente de ce matériau minéral.

240

241

242

243

240 Porte d'étable en bois naturel vieilli, photographiée à Montigny-lès-Arsures. Pas de contraste de valeur entre le gris patiné de la menuiserie faite de planches clouées horizontalement et la tonalité dorée de la pierre de la maçonnerie. Textures et matières ajoutent leur qualité au contraste de tonalités. L'ombre portée met en relief la découpe élégante et vive de l'encadrement de pierres.

241 Poligny, rue des Rondins. Bel ensemble camaïeu de terres brunes autour du portail de cette maison vigneronne. Les tons gris ciment du sol se continuent en valeur plus brune sur le soubassement et le crépi de la façade. Le gris bleuté et le blanc des encadrements dessinent avec force et contraste le dessin des percées, donnant à cette architecture sobre un graphisme très affirmé.

242 On peut admirer la sobriété des couleurs de cette porte d'étable, à La Peyrouse, hameau proche de Baume-les-Messieurs. La pierre du pays laissée naturelle sur les encadrements finement taillés est particulièrement bien mise en valeur par la coloration patinée de la façade, qui laisse apparaître par endroits un enduit ocré. Le portail est formé de larges planches en chêne fixées horizontalement sur fond de planches de sapin verticales à l'aide de clous autrefois forgés à la main, remplacés aujourd'hui par des clous mariniers.

243 La lumière de midi, en ce lundi de Pâques 1989, met particulièrement en relief les matières et la rugosité de cette maison de Baume-les-Messieurs. A première vue, on pourrait conclure à l'absence de couleurs. Un regard plus attentif sera sensible à la délicatesse des contrastes et aux nuances très subtiles de cette harmonie de tonalités blondes et naturelles.

247

244

245

246

Ces revêtements de toitures en bois, après avoir été longtemps exposés au soleil et aux intempéries, ont pris au fil des années une belle couleur grisée ; mais ils ont été progressivement remplacés par les toitures brunes de tuiles plates. Quant aux matériaux traditionnels utilisés pour le bardage des murs, ils laissent à présent la place au zinc, à l'amiante et au ciment.

244 Entrée de grange en menuiserie de planches horizontales clouées, surmontée d'un linteau de bois laissé dans son état naturel. Les pierres taillées de l'encadrement sont de même nature que les moellons et plaquettes de pierre calcaire qui constituent l'appareillage du mur de façade. La couleur sépia du bois vieilli de la porte contraste en valeur sombre avec la couleur claire et dorée de la façade.

245 Le linteau de bois grisé présente une large courbe faisant office d'arc de décharge. Il est le témoin de l'époque où la porte livrait passage à de volumineux chargements de foin tirés par des bœufs. L'oxyde rouge de la peinture de la porte actuelle est une tonalité souvent présente dans l'architecture rurale, qui s'harmonise ici avec les reflets ocre jaune de la pierre (Bauxelle).

246 Très bel appareillage en grès du pays, dont la texture est mise en relief par la lumière frisante du matin. Le bois traité au brou de noix crée un contraste prononcé avec son encadrement minéral de pierre taillée (Montigny-lès-Arsures).

247 C'est une palette incomparable des couleurs de la nature que nous propose ce mur de clôture, témoin du temps qui s'écoule... Chaque pierre taillée laisse apparaître sa propre richesse de coloration, et le rythme des joints fait penser à certaines œuvres de Paul Klee. Les bruns ocrés de l'oxyde de fer délavés par les intempéries s'accompagnent, dans la partie haute et sombre du mur, des taches ponctuelles jaunes et vertes des lichens. Contrastant sur le bleu vif du ciel, les fleurs printanières du forsythia coiffent le tout de leur jaune éclatant.

248

249

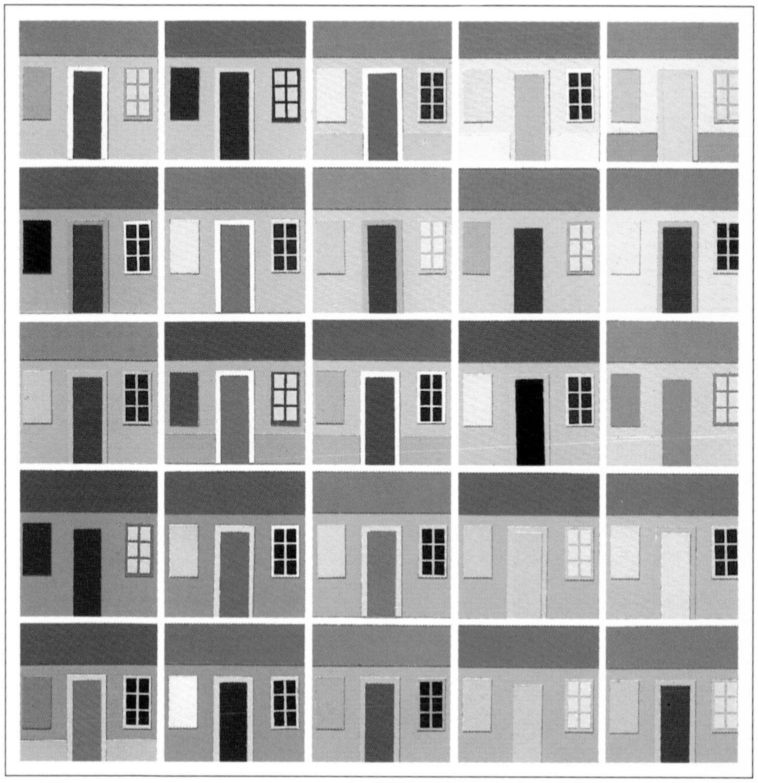

Palette ponctuelle
Les encadrements de portes et de fenêtres, ainsi que les chaînes d'angles, en pierre de taille, témoignent du soin apporté à la construction et se détachent en valeur claire sur la maçonnerie de la façade.
Le linteau de la porte d'entrée des maisons vigneronnes porte parfois la date de la construction, les initiales du constructeur, une devise pieuse. Il peut aussi abriter une niche ou des sculptures dans la pierre.
La présence d'un escalier extérieur en pierre, qui mène au logis du vigneron, donne à ce type de maison son aspect caractéristique.
Lorsque les menuiseries ont été laissées naturelles, le bois a pris, sous l'effet de la patine, une belle couleur grisée.

248/249 Ces deux planches de synthèse proposent un résumé des couleurs de l'habitat traditionnel relevées, l'une dans la cité viticole d'Arbois, l'autre dans différents lieux de Franche-Comté, tels que Mesnay, Vuillafans, Bolandoz, Le Vernois, Pesmes, Vauchoux, etc.

Dans la palette générale dominent les tonalités ocrées : ocre jaune et moutarde, ocre rosé. Les toitures se déclinent dans les bruns sombres de la terre cuite et dans les gris de la lave. Les portes sont généralement de coloration chaude, dans les tons bois de valeur claire ou foncée. Les encadrements, souvent en pierre du pays, apportent leur clarté naturelle à cette harmonie.

En avril 1989, deux rues de la petite ville d'Arbois présentaient un caractère chromatique particulièrement homogène : ce sont les rues Gillois et Poitelin dont les maisons ont été étudiées de façon systématique. Une étroite parenté apparaît entre les résultats de cette étude et ceux de l'étude poursuivie à travers la Franche-Comté en 1984.

La Bretagne

250

250 La plupart des maisons du littoral breton sont traditionnellement crépies et blanchies à la chaux, par mesure de protection contre les vents marins. Ces quelques maisons situées dans la baie de Douarnenez réfléchissent la lumière du soir qui donne aux façades une blancheur éclatante.

C'est une région aux paysages variés que l'on découvre tout au long des côtes et dans l'arrière-pays, et qui renferme de véritables trésors d'architecture.
Mais c'est aussi un pays de lumières et de couleurs. Sous les grands ciels changeants, balayés par le vent, la moindre parcelle de granit des maisons bretonnes contient toute une palette de peintre. La pierre et les matériaux de couverture s'enrichissent, de surcroît, des tonalités fortes des mousses et des lichens.
Pourtant, c'est malheureusement l'une des régions les plus menacées par la prolifération d'une architecture qui se dit régionale, mais qui, en accumulant les murs blancs standards et les volets vert foncé, dénature des ensembles d'une grande qualité de couleurs. Insérer une façade blanche dans un ensemble aussi remarquable que celui de la ville de Dinan dégraderait complètement un paysage où prédomine l'harmonie des gris – granit et ardoise.

251

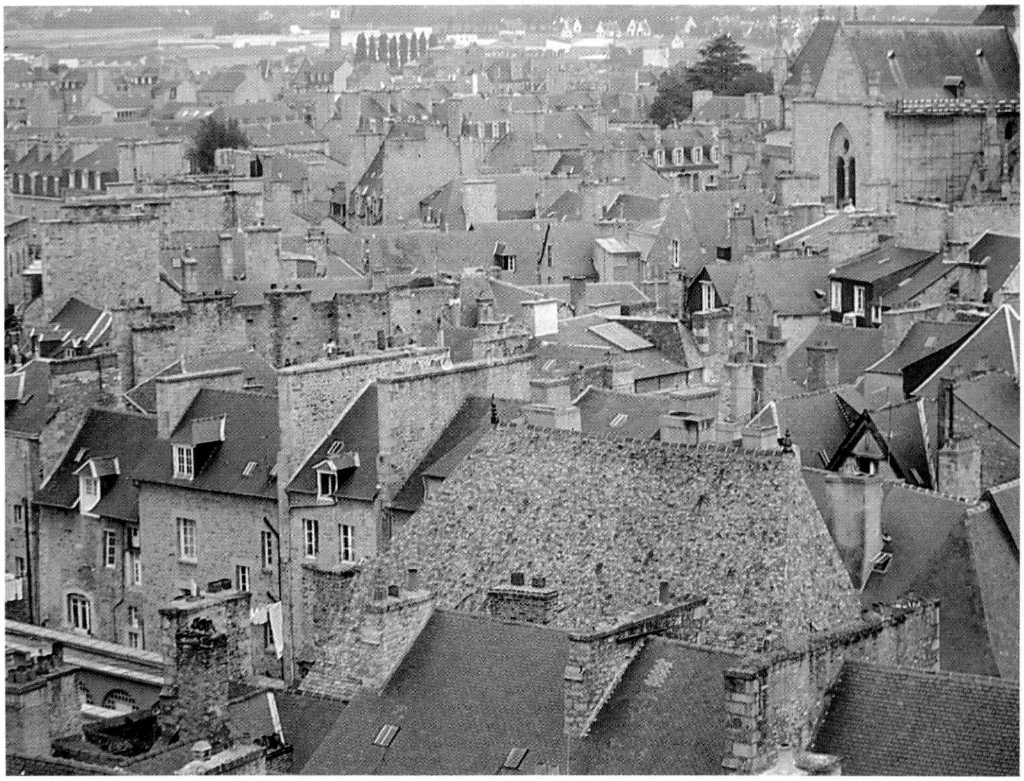

252

253

251 Ce paysage urbain fournit un bon exemple de la richesse picturale que peut exprimer une palette chromatique, même quand elle est très sobre. C'est le cas de la ville de Dinan, dans les Côtes-du-Nord, dont la palette est essentiellement composée des gris bleutés de l'ardoise et des gris chauds du granit. La palette ponctuelle se limite à la terre cuite orangée des épis de faîtage et des cheminées, et au blanc des menuiseries. A ces données élémentaires s'ajoutent, bien entendu, la rythmique architecturale ainsi que les jeux de lumière et d'ombre sur les différentes surfaces.
Cet ensemble témoigne de la très grande cohérence visuelle des villes d'autrefois, bâties avec un ou deux matériaux de base. Dans la construction actuelle, la trop grande diversité des matériaux utilisés, engendre souvent des paysages sans unité.

252 Cette vue du port de Douarnenez résume les grandes tendances chromatiques de l'architecture du littoral breton. La palette générale se décompose en trois valeurs : le blanc éclatant des façades passées au lait de chaux, le gris moyen du granit ou des enduits et le gris sombre de l'ardoise. Les tonalités de la palette ponctuelle : blancs, bruns, bleus et verts, sont très étroitement liées aux couleurs des bateaux. Cette correspondance n'est pas le fruit du hasard, c'est souvent le même pot de peinture qui sert à protéger le bois des embarcations et celui des maisons.

253 Cette petite maison de pêcheurs, à Lesconil (Finistère), rappelle la tradition en vigueur sur les côtes bretonnes : la façade principale est régulièrement ravalée au lait de chaux, mais sont laissés apparents les robustes encadrements de granit dont la matière et les tonalités sont ainsi, par contraste, très bien mises en valeur.

254

255

256

257

254 Les hameaux de la Grande Brière (Loire-Atlantique) sont bâtis sur des îlots de terrain stable, au cœur d'une région marécageuse. Ils sont composés de modestes maisons mitoyennes, construites en moellons granitiques et coiffées d'un toit de roseaux brunâtres. Cet alignement de maisons, dans le hameau d'Hoscas, présente un contraste révélateur entre la façade de granit laissé apparent et la blancheur éclatante des façades voisines, passées au lait de chaux. Le bleu est la tonalité dominante des menuiseries de cette région voisine de la mer.

255 La petite taille des ouvertures de cette habitation, dans le hameau de Kervihan (presqu'île de Quiberon), est justifiée par un souci de protection contre les vents d'ouest et la pluie. Le blanc de chaux, qui rénove chaque année la façade, donne un éclat tout particulier aux délicates variantes de l'ardoise couverte de lichen. Le vert tilleul des portes et des fenêtres et l'ocre clair du soubassement sont les seules tonalités de la gamme ponctuelle.

256 La rigueur géométrique de ses lignes donne son caractère à cette habitation du Guilvinec (Finistère). Les encadrements et les chaînes d'angle en pierre de taille contrastent en valeur claire avec l'enduit bleuté de la façade dont la coloration s'est enrichie sous l'effet de la patine du temps.

257 Ce paysage de Carnac (Morbihan) est d'une remarquable qualité picturale qui vient de ses camaïeux bruns et verts. Trois pigments de base composent cette harmonie colorée : les gris chauds moyens du granit, le brun roux végétal du chaume et des herbes séchées et la gamme des verts.

Palette générale
Les matériaux employés pour la construction des toits et des murs sont ceux qu'offre la géologie locale. Ainsi, dans le seul département des Côtes-du-Nord, on rencontre la granulite feuilletée, les schistes et les phyllades, les schistes amphiboliques de la région de Dinan, les grès et les schistes de la région de Saint-Brieuc, le granit, la granulite et le granit rose de la région de Lannion.
Dans l'architecture traditionnelle, une unité de coloration confond souvent les matériaux de maçonnerie et de couverture, principalement schiste et granit.
Le *granit* est une pierre sombre aux tonalités denses et variées, dont la couleur change suivant les régions . En Cornouaille, il est gris, violet ou bleu ; il est gris-noir dans le Trégor, rose à Ploumanac'h. On l'utilise le plus souvent en gros blocs apparents et en rangées horizontales. Du fait de leur assise, ces pierres peuvent être montées à sec sans ciment ni mortier, et les interstices laissés entre les blocs sont remplis par de petits moellons plats.
Dans les régions côtières, cependant, ces murs de granit sont crépis et passés au lait de chaux, à l'exception toutefois des encadrements de baies, de linteaux et de seuils. Ces murs blanchis gardent longtemps leur éclat au voisinage de la mer, car ils sont rapidement séchés par les vents du large. En revanche, dans les régions du centre et de l'est, les pluies verdissent et altèrent rapidement ces revêtements.
Aujourd'hui, les maisons neuves bâties en parpaings sont systématiquement peintes en blanc. Dans les ensembles architecturaux, ces crépis peuvent, avec l'apport gris des toits, créer une certaine cohérence visuelle, comme en témoigne la ville de Lorient. Dans la plupart des cas, il est cependant préférable de s'inspirer des façades anciennes et de couvrir les murs d'un enduit de tonalité chaude, ocré ou rosi par l'apport des pigments d'oxyde de fer rouge mêlés au mortier.
Le granit est utilisé aussi comme matériau de couverture dans le Nord-Finistère. Les dalles sont alors jointoyées pour assurer à la toiture une meilleure étanchéité.
Le *schiste* n'a pas l'aspect rude du granit, mais sa couleur est plus austère. Généralement gris bleuté, il tire sur le violet dans le sud de la Haute-Bretagne. Il est débité en pierres longues et minces, conformément à son clivage naturel. Du fait de leur assise, ces dalles se disposent sans peine les unes sur les autres et, dans la plupart des cas, elles n'ont guère besoin d'être jointoyées.

258

259

258 Cette maison rurale du pays vannetais est intéressante par son caractère essentiellement minéral, avec son toit d'ardoise et ses murs de granit. La matière rustique de l'appareil, constitué de moellons irréguliers, s'ajoute à la coloration de ce matériau pour lui donner un aspect vivant. La qualité visuelle d'une couleur dépend tout autant de la structure de surface que des pigments qui entrent dans sa composition.

259 La couverture de chaume de cette habitation briéronne dessine une légère ondulation marquant l'emplacement de la lucarne des combles. La couleur des menuiseries reprend une qualité de brun très voisine du chaume de la toiture (hameau de Kerlo).

260

261

262

263

264

260/266 L'analyse des couleurs de l'habitat traditionnel, qui a été poursuivie dans les différentes régions de France, révèle dans les résultats de synthèse les dominantes chromatiques propres à chaque région, à chaque ville ou à chaque village.
On constate que, sur le littoral breton, les tonalités ponctuelles sont très diversifiées. La coutume de peindre les bateaux de couleurs vives pour les identifier se répercute sur le choix des couleurs ponctuelles des maisons de pêcheurs.

261 Très bel appareil de granit, relevé à Plérin dans les Côtes-du-Nord. Du brun foncé au rose clair, en passant par toutes les gammes de gris ocrés et de gris bleutés, cette surface de mur structurée montre bien la grande qualité picturale de ce matériau.

262 La Bretagne est une région où les lichens se développent avec prédilection, apportant ainsi aux matériaux des taches de couleurs très variées qui influent considérablement sur la palette générale (Brasparts, Finistère).

263 Les habitations de la campagne témoignent souvent d'une exceptionnelle richesse de couleurs dans les matériaux qui les composent. A la diversité des matières, s'ajoute l'intervention inattendue de la nature qui agit avec une grande liberté. Couleurs et textures se conjuguent en phénomènes visuels et tactiles, calmes ou contrastés, doux ou rugueux, et offrent à l'émerveillement de tous les plus vivantes œuvres d'art (détail relevé au hameau de Kerlo, dans la Grande Brière).

264 Ces essentes d'ardoises à Dinan, dans les Côtes-du-Nord, présentent une gamme de couleurs et de matières très vivante.
L'essentage a pour objet de protéger une maçonnerie fragile contre les intempéries.

265

266

Comme mode de couverture, l'ardoise a peu à peu remplacé le chaume, conformément aux édits royaux qui, dès le XVIe siècle, avaient prohibé la paille en raison de son inflammabilité.

Traditionnellement, l'ardoise était employée en dalles épaisses de 7 à 10 millimètres, taillées à la main, et clouées à la charpente afin d'être maintenues en place. Les grandes ardoises étaient destinées aux rives et à l'égout, tandis que les petites étaient réservées au faîtage.

L'ardoise épaisse, d'origine diverse (Gourin, Sizun...), a une structure et une matière beaucoup plus savoureuses que l'ardoise mince régulièrement découpée à la machine. Elle a aussi une gamme de tonalités très étendue : du bleu foncé au gris en passant par le vert, avec parfois des reflets dorés dus à la présence de mica. De son côté, l'ardoise fine a une coloration bleue à Maël-Carhaix dans les Côtes-du-Nord et verte à Ploërmel dans le Morbihan.

Dans les zones dépourvues de pierres, on rencontre encore des maisons dont les murs, reposant sur un soubassement en moellons de schiste, sont construits soit en *pisé* (briques crues d'argile grasse séchées au soleil), soit en *torchis* (terre mêlée de paille ou de foin), comme on peut en voir dans la région de Combourg (Ille-et-Vilaine). Protégés des intempéries par un enduit au mortier de chaux, ces murs d'argile fournissent encore la preuve de leur grande solidité. Le crépissage n'est pas toujours indispensable dans la mesure où la terre glaise s'imperméabilise, tout en conservant aux maisons de pisé leur très belle couleur ocrée.

265 Entre Morlaix et Roscoff, c'est la même valeur foncée, gris froid sur le toit, qui se prolonge en gris chaud sur le mur en maçonnerie de moellons de schiste. Les encadrements de granit sont en valeur plus claire. Le bleu azur des menuiseries égaie cet ensemble.

267

268

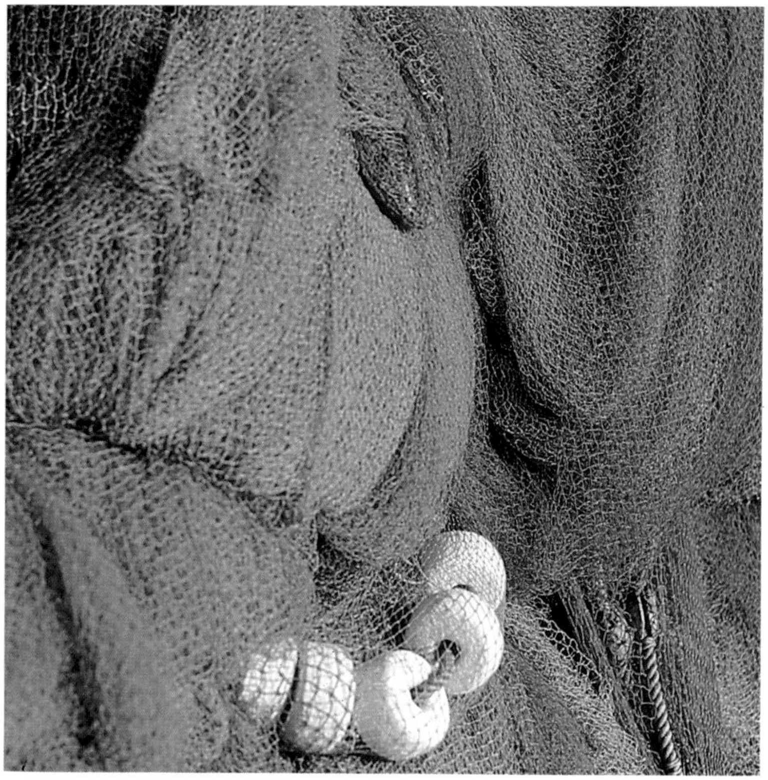

269

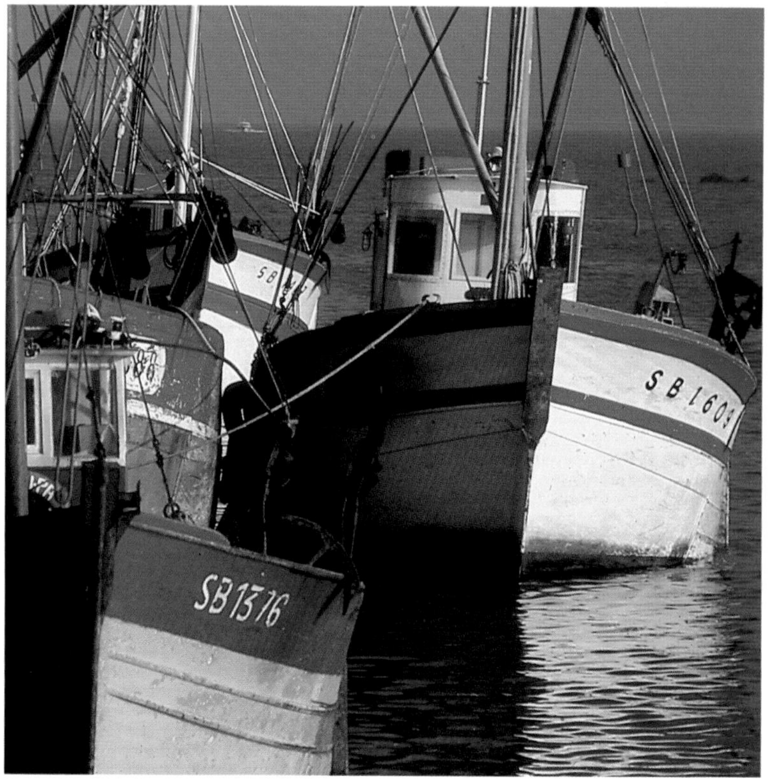

267 Cette chaumière de l'île de Fédrun, au cœur de la Grande Brière, rappelle les modestes « bourrines » du pays vendéen. Ici, les menuiseries sont peintes en bleu. Dans ces marais proches de Saint-Nazaire, elles étaient souvent couvertes d'ocre rouge qui provenait, dit-on, des chantiers navals où l'on se servait de peinture antirouille pour protéger la coque des navires. A présent, c'est le bleu qui domine dans cette région : bleu clair ou bleu vif, constrastant gaiement avec le lait de chaux blanc.

268 Filets de pêche bleus, mer bleue, ciel bleu, bateaux bleus, portes et volets bleus. Le bleu est une couleur bien spécifique des côtes bretonnes.

269 Comparables aux tentes de toile multicolores des marchés, les couleurs vives et contrastées des bateaux de pêche donnent aux ports bretons une animation visuelle parfois exubérante. Elles sont rendues plus fascinantes encore par un perpétuel mouvement qui provoque un phénomène cinétique. En effet, cette mobilité produit une accumulation d'innombrables contrastes dont le mélange optique rend les couleurs plus lumineuses et chatoyantes, comme les peintres impressionnistes ont aimé à les reproduire.

270

Palette ponctuelle
Tandis que la couleur des *soubassements* de schiste ou de granit, laissés naturels ou couverts d'un enduit, n'intervient que dans le cas de façades crépies qu'il faut protéger de l'humidité et des éclaboussures, en revanche les *encadrements* de portes et de fenêtres ont en Bretagne une importance toute particulière et témoignent d'un souci de recherche très caractéristique. Lorsque les façades des maisons sont badigeonnées au lait de chaux, les encadrements de granit restent apparents ; ce procédé met en valeur l'appareil de pierre constitué de blocs alternativement courts et longs, ainsi que le linteau de la porte, sculpté d'une moulure en accolade ou gravé d'une inscription destinée à commémorer les noms de l'artisan ou du propriétaire, ou encore la date de la construction. A l'inverse, les

271

270 Trois tonalités de base composent cet espace : le gris minéral du sol et du granit, l'oxyde rouge des menuiseries qui forme un contraste complémentaire avec le vert du gazon (Morlaix).

271 Le blanc de la fenêtre crée un contraste vigoureux avec les couleurs de la façade. Les moellons de la maçonnerie présentent une grande variété de gris colorés et d'ocres qu'accompagne harmonieusement la couleur chaude des volets oxyde rouge (Saint-Quay-Portrieux).

272

272 La palette des maisons de Belle-Ile, la plus grande des îles bretonnes, présente un caractère très particulier à cause du galon de couleur qui encadre façades et baies, ressortant vivement sur le lait de chaux blanc. Ce graphisme brun-rouge souligne l'ordonnance de la façade et contraste avec le vert complémentaire des volets. On retrouve ce même type de décor sur des façades d'habitations du littoral au Portugal, en Grèce (fig. 63) et aux Açores.

encadrements de portes et de fenêtres sont parfois badigeonnés à la chaux et se détachent en valeur claire sur le fond de pierre ou de crépi sombre.
Bien souvent, les *menuiseries* constituent sur la façade des maisons bretonnes les seuls éléments de couleur ajoutée. Elles sont généralement peintes dans des tonalités de beiges, de gris froids, de bleus, de verts sombres, de bruns ou d'oxydes rouges.
Le bleu (bleu moyen ou, plus rarement, bleu foncé) est une couleur ponctuelle souvent utilisée en Bretagne. Et son application sur les menuiseries concourt, avec le bleu des bateaux et des filets de pêche, à créer un lien entre le ciel et la mer.
Sur le littoral breton, on observe que les couleurs apportées en application artificielle sur les maisons sont fréquemment les mêmes que celles des embarcations de pêche. C'est le même pot de peinture qui sert pour la coque du bateau et pour les portes ou les volets de la maison du pêcheur. Sans doute est-ce là l'un des principaux facteurs intervenant dans l'utilisation, d'une maison à l'autre, de tonalités ponctuelles contrastées.
La vivacité de ces couleurs ne nous choque guère dans les ports bretons, du fait de l'intensité de l'animation chromatique créée par le va-et-vient des bateaux de pêche multicolores. L'intensité de ces tonalités contrastées s'explique par un besoin d'identification visuelle des bateaux, lesquels sont ainsi repérables à grande distance. C'est une véritable fête pour les yeux et nul ne penserait à se plaindre de la gaieté de ces effets cinétiques.
La couleur se juge en effet très différemment selon qu'elle est appliquée sur un support mobile ou sur un support statique.

273

274

273 Dans le village de Meillac, près de Combourg (Ille-et-Vilaine), cette solide maison aux chaînes de granit exprime sa dominante chaude par l'ocre rouge de l'enduit et le brun de la porte. Un peu cru, le blanc des menuiseries n'en égaie pas moins le caractère austère de l'ensemble.

274 Contrastes de valeurs et contrastes de matières sur cette façade de Saint-Quay-Portrieux où les volets clairs atténuent l'ouverture des fenêtres, alors que le brun sombre de la porte renforce la présence de l'entrée.

Indépendante de la tonalité, la valeur d'une couleur, selon qu'elle est sombre ou claire, peut accentuer ou faire disparaître un élément de l'architecture.

275

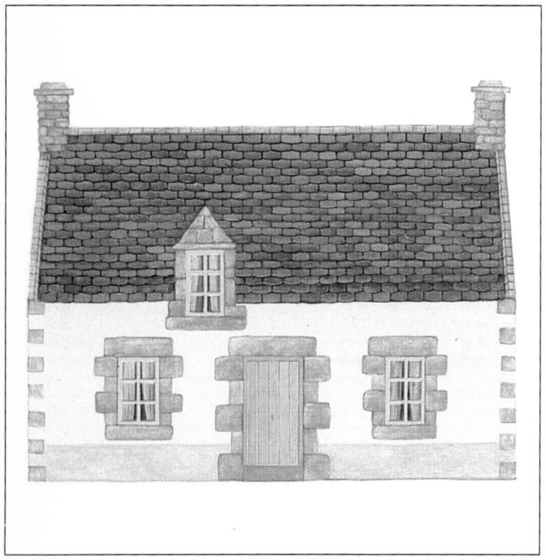

276

277

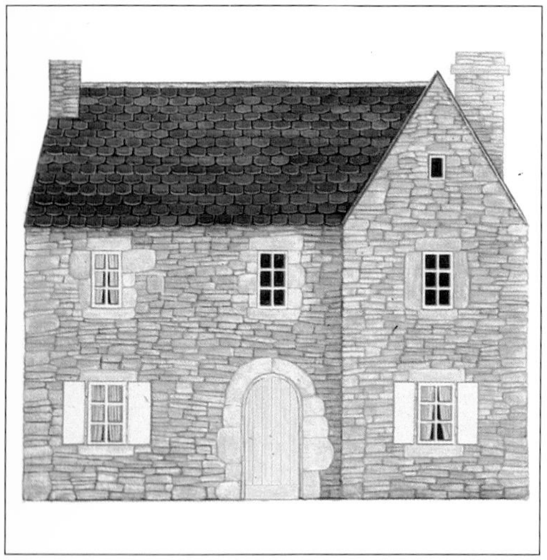

278

279

280

Ces illustrations présentent quelques tendances dominantes de la palette bretonne. Elles résument les informations chromatiques recueillies dans cette région au cours des analyses de site et peuvent constituer un point de départ pour l'élaboration de nouvelles harmonies, en rapport avec les données de l'habitat traditionnel que les planches de synthèse rassemblent de façon schématique.

275/276 Seules les menuiseries donnent à ces petites maisons de pêcheurs leur caractère distinctif. Sur la façade blanchie au lait de chaux, comme c'est la tradition sur le littoral, elles sont peintes dans des tonalités pastel ou, le plus souvent, contrastent gaiement par leurs vives couleurs.

277/278 Avec l'appareil régulier de moellons de granit, les encadrements en pierre de taille et les menuiseries blanches de la palette ponctuelle forment un camaïeu. Sur le mur de granit sombre, le bleu des portes, des fenêtres et des volets, qui se détache sur les encadrements de granit plus clair, crée une harmonie tout aussi lumineuse.

279/280 Les façades de ces deux habitations sont enduites d'un crépi à base de chaux, coloré par un pigment d'oxyde rouge. L'une se caractérise par la coloration sobre et discrète de ses menuiseries brun Van Dyck, tandis que l'autre présente une gamme plus claire et plus contrastée avec la peinture blanche des fenêtres et l'opposition chaude-froide des volets vert feuillage sur fond rose.

281

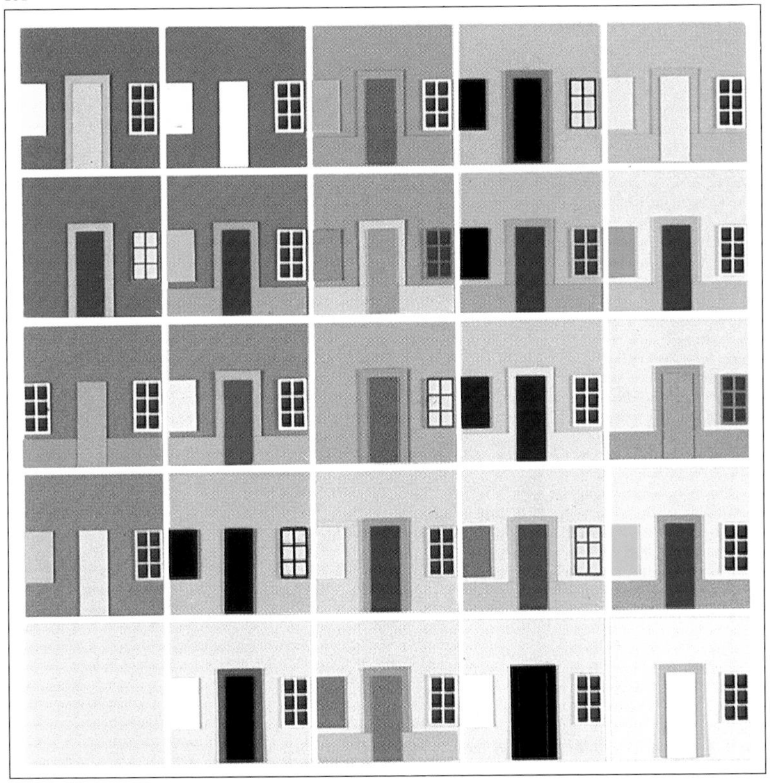

282

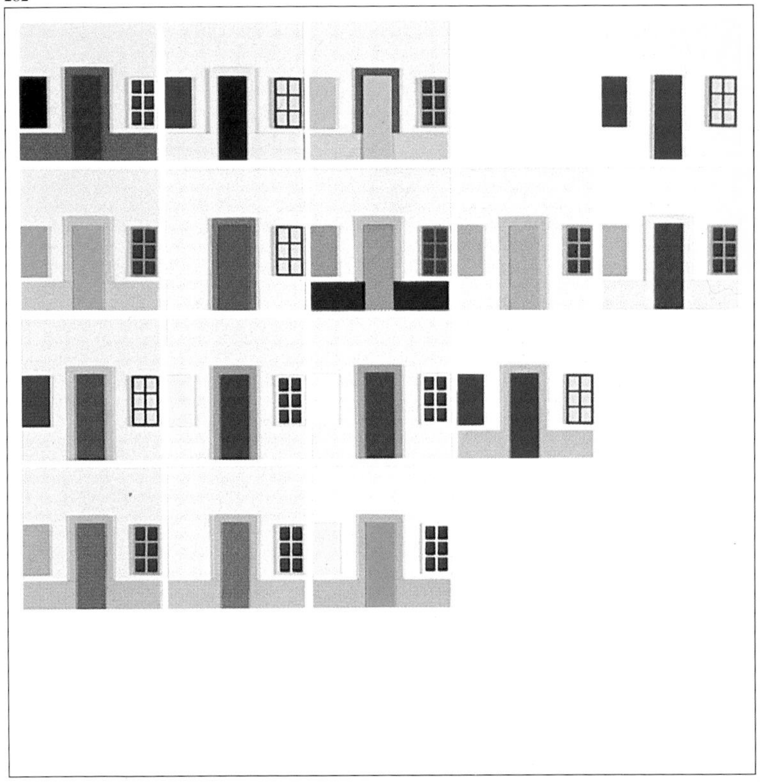

283

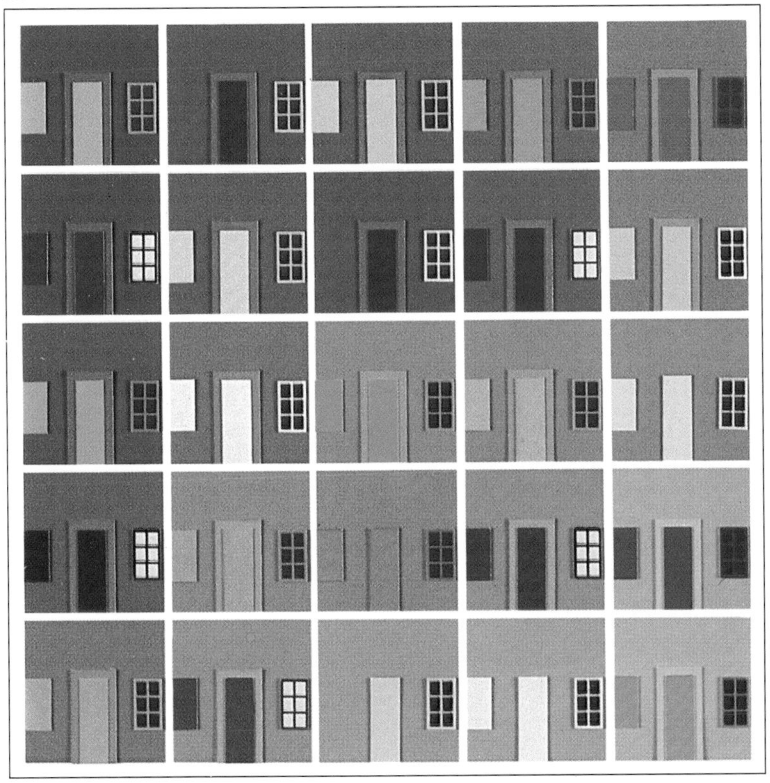

284

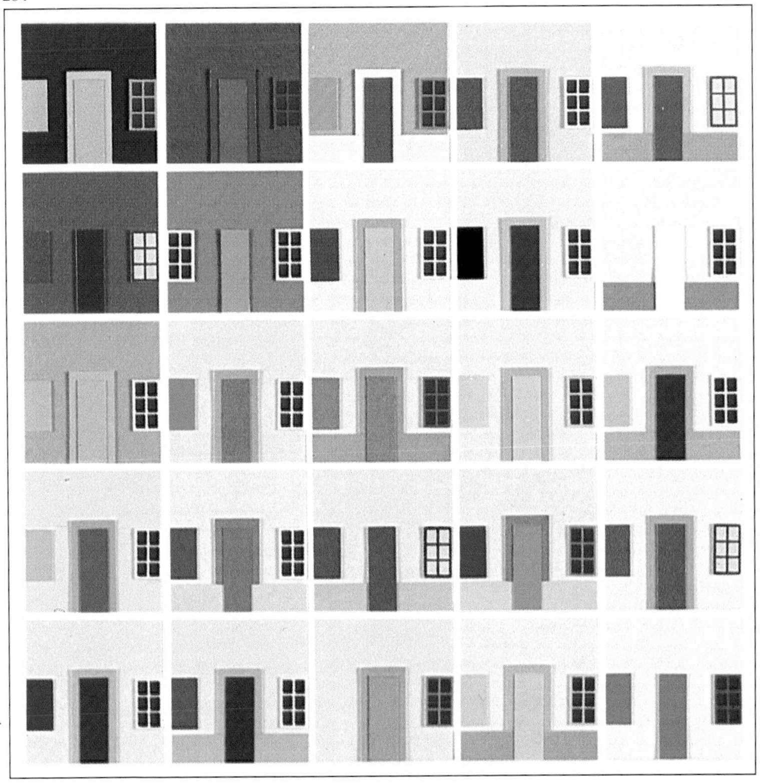

281/282/283/284 Ces planches présentent la synthèse chromatique des façades de maisons répertoriées en Bretagne.

Les dominantes principales de la palette générale apparaissent clairement : ce sont les bruns et les gris, plus ou moins soutenus, des murs de schiste et de granit ; et, à côté des matériaux minéraux, on trouve toute la gamme des enduits à base de chaux qui se décline du blanc aux gris colorés, en passant par les ocres et les roses pigmentés par la présence d'oxyde de fer. Les façades blanchies à la chaux ou à la peinture d'extérieur, très répandues sur le littoral, contrastent vigoureusement avec les valeurs sombres de l'ardoise gris bleuté.

La palette ponctuelle – soubassements, encadrements, chaînes, souches de cheminées et menuiseries – anime la palette générale de ses tonalités contrastées. Les chaînes et les encadrements forment une opposition clair-obscur avec la façade de pierre ou recouverte d'enduit. Les portes et les volets ont des teintes gaies et saturées qui rappellent souvent les couleurs vives – vert, bleu et rouge – choisies par les pêcheurs pour identifier leurs bateaux.

La Vendée et la Charente-Maritime

Sous un ciel lumineux, ces deux provinces étalent, des bords de la Loire à ceux de la Gironde, une nature caractérisée par l'horizontalité de paysages très verdoyants. La sobriété de la gamme des coloris d'accompagnement donne à cette région une grande unité visuelle. On retrouve dans les tonalités les couleurs naturelles du paysage : celles de l'eau, du ciel, de la terre ou des feuillages. D'ailleurs, la végétation s'étend largement sur les façades auxquelles fleurs et feuilles confèrent une animation visuelle rythmée par les saisons.

285

285 Cette petite ferme isolée dans la campagne de Saint-Gervais (Vendée) est située entre le marais de Machecoul et celui de Challans, au nord-ouest de la Vendée. Basse et horizontale sous une toiture de tuiles canal, elle rassemble les traits caractéristiques des habitations paysannes de cette région côtière de l'Atlantique : les façades sont revêtues d'un enduit uni, très blanc, souligné par la mince ligne sombre du soubassement protégé par une couche de goudron.

286

286 Ferme relevée au bord du canal, à Damvix, village situé aux confins de la Vendée, de la Charente-Maritime et des Deux-Sèvres. Les enduits vieillis de valeurs et de tonalités très proches, sous la ligne horizontale de la toiture couverte de tuiles canal anciennes, sont ponctués avec douceur du gris moyen et froid des menuiseries. Le plan d'eau, où se reflète le ciel, se décline lui-même dans une infinité de gris colorés. L'harmonie de ces couleurs subtiles, gris ocrés et roses sur la façade, gris bleutés froids sur les menuiseries et dans l'eau, confère à ce paysage une qualité très picturale.

287

288

Palette générale

Parmi les matériaux qui ont servi à la construction des maisons généralement basses, on trouve du calcaire en Charente, au sud de la Vendée et aux limites du Saumurois, du schiste dans le bocage vendéen, du granit gris ou rose au nord de la Vendée.

Le schiste est employé en moellons, jointoyés ou non au lait de chaux. C'est sur la côte atlantique que le badigeon au lait de chaux fait véritablement partie des traditions locales. Appliqué régulièrement, cet enduit constitue sur les murs une couche protectrice d'un blanc étincelant, à la matière structurée et animée par les jeux de lumière. Le lait de chaux protège en particulier les murs de pisé des « bourrines » coiffées de roseaux du Marais breton.

Les toits plats, couverts de tuiles romaines, donnent aux maisons un type architectural qui évoque celui des pays méditerranéens. Ces couvertures sont caractérisées par leur très belle matière. La courbe arrondie des tuiles accroche la lumière, tandis que l'ombre creuse de profonds sillons verticaux. Les tuiles canal présentent deux aspects chromatiques bien particuliers : le gris-brun patiné des vieilles tuiles fabriquées artisanalement et l'orange vif des tuiles modernes.

287 La façade de cette maison du Marais poitevin, à Damvix (Vendée), exprime l'élégance et la simplicité de ses proportions par un enduit de couleur sable que vient rehausser la ligne blanche des encadrements et de la corniche. La tonalité dominante est un camaïeu de valeur plus sombre donné par la terre cuite patinée de la couverture. On remarque que les menuiseries sont d'un ton oxyde rouge au rez-de-chaussée et gris à l'étage.

288 A Saint-Martin-de-Ré, l'alignement de ces façades au bord du quai présente une très grande simplicité de couleurs composées d'ocres rosés pour les toitures, de blancs et de sable pour les façades, de gris et verts moyens pour les menuiseries. Ces dominantes sont toutefois très diverses dans leurs qualités chromatiques (tonalités et valeurs). Le trou noir des ouvertures tranche violemment sur les blancs qui reflètent la lumière du soir. Entre ces contrastes extrêmes, on peut mesurer les différentes valeurs des volets gris et verts.

289

290

291

289 Fleurie, coquettement blanchie et repeinte, cette maison de Pont-du-Brault est très représentative de l'habitat du Marais poitevin. Le bleu léger des menuiseries évoque les couleurs du ciel et adoucit la blancheur éclatante de la façade.

290 Très simples et pittoresques, les maisons de l'île de Ré (ici, aux Portes) sont badigeonnées au lait de chaux chaque année, comme c'est la coutume sur tout le littoral. Leur blancheur éclatante reflète intensément la lumière. Cette tradition du blanchiment des murs n'est pas sans rapport avec celle des côtes méditerranéennes, tout comme les petites cours entourées de murs. Elle rappelle que, au VIIIe siècle, les Sarrasins, vaincus à Poitiers par Charles Martel, vinrent en grand nombre se réfugier dans l'île de Ré.

291 Dépendances d'une habitation de Vibrac, dans le sud de la Charente-Maritime. La subtile différence de valeurs entre la tonalité du mur et le blanc du bandeau et du soubassement apporte une harmonie raffinée que complète la couleur des allées. L'ombre portée ajoute à cet ensemble sa propre touche de couleur.

292

292 Cette grande ferme, photographiée en juillet 1970 dans les environs de Pons, en Saintonge, étale ses vastes toitures de tuiles romaines sur des murs de pierre calcaire partiellement enduits. La lumière du soir accentue la chaleur de ces nuances et reflète sur la façade le doré de la moisson fraîchement coupée. Les verts sombres des feuillages contrastent fortement avec la dominante chaude de l'ensemble.

293

294

295

Palette ponctuelle
Les encadrements des ouvertures sont en granit ou en appareillage de brique. Ils sont souvent soulignés de blanc par un bandeau de lait de chaux traditionnellement renouvelé chaque année.
En Charente-Maritime, les soubassements peuvent être protégés de l'humidité par l'application d'une couche de goudron ou de peinture.
De leur côté, les souches de cheminées, réalisées en moellons ou en briques, constituent un prolongement visuel du matériau de couverture.
Les menuiseries représentent le seul apport de polychromie extérieure dans cette architecture modeste. Là encore, on constate une grande sobriété dans le choix des couleurs : le plus souvent, c'est la même teinte (bleu, vert ou rouge-brun) que l'on retrouve sur les portes, les fenêtres et les volets.
Le bleu très lumineux qu'utilisent de préférence les habitants, avec de temps à autre une variante bleu clair, rappelle dans ce paysage maritime les bleus éclatants du ciel et de la mer, quand brille le soleil. On remarque également l'emploi fréquent d'un vert cru, aussi intense que le vert saturé d'humidité de la végétation.
Cette palette ponctuelle très sobre donne, par son éclat et son contraste affirmé avec le blanc des enduits de façade, son caractère dominant à cette architecture paysanne.

293 Matières et structures – mortier de terre ocre clair et moellons calcaires – relevées entre Mortagne-sur-Gironde et Pons (Charente-Maritime). La couleur des agrégats utilisés pour la fabrication du mortier contribue beaucoup à la qualité visuelle de la maçonnerie.

294 C'est l'animation très structurée des surfaces qui donne une sobriété particulière aux tonalités des tuiles rondes et des pierres calcaires (Charente-Maritime).

295 Contraste de matières sur cette habitation des Portes (île de Ré) : appareil de moellons plats visibles sur le mur de clôture, et enduits sur les murs de l'habitation. Le vert émeraude clair des volets crée un contraste complémentaire avec le rose de la façade. Autrefois, les maisons rurales étaient recouvertes d'un enduit destiné à protéger des moellons de qualité médiocre.

296

296 Façade typique du marais vendéen. Elle se caractérise par l'horizontalité de ses lignes, la ponctuation contrastée de ses encadrements de briques apparentes et le bleu de ses menuiseries, au cœur d'un paysage très plat, parcouru de canaux.

297

298

299

300

297 Cet angle de rue à Marans, au nord de la Charente-Maritime, est baigné de la lumière que réfléchit la façade blanche. Le jaune pâle des deux autres murs s'accompagne avec délicatesse des menuiseries vert-jaune et des encadrements blancs. La porte brun Van Dyck rappelle la tonalité initiale du bois naturel.

298 Ces façades de la rue Suzanne-Cotonneau, à Saint-Martin-de-Ré, sont représentatives de l'architecture de l'île. Les toits à une ou deux pentes en tuiles rondes ou plates sont surmontés d'une haute cheminée de pierre. Leurs tonalités à dominantes blanches et claires, ocrées ou légèrement roses, contrastent avec les volets dont les bleus et les verts atténuent la blancheur parfois aveuglante des murs de façades.

299 Cette habitation de caractère massif est l'exemple de ce que l'on pourrait appeler la couleur sans tonalité, composée de blanc, de gris et de noir. Cette échelle de valeurs prend toute son intensité par le jeu de la lumière, des ombres et des matières. Dans cet environnement de tonalités neutres, le bleu du ciel donne à l'ensemble un caractère chromatique particulièrement affirmé.

300 La composition colorée de cette façade rhétaise rappelle combien le sol participe à la palette d'une maison. C'est presque la même valeur de gris qui part du sol et recouvre le soubassement. Les volets verts font un contraste de tonalités froid et chaud avec le brun de la porte.

301

302

303 A

303 B

301/302 A Martinet (à l'ouest de La Roche-sur-Yon), ces maisons voisines présentent une façade blanchie à la chaux, surmontée d'une corniche en forme de fausse génoise en enduit moulé. Le débordement des tuiles canal sert d'égout. La dégradation des soubassements montre clairement la nécessité de protéger le mur, à sa base, contre les éclaboussures.

303 A/303 B La synthèse des couleurs de la Vendée est fortement dominée par le blanc de chaux, parfois légèrement teinté d'ocre ou de rose, des façades. Les gris colorés des enduits, pigmentés par la présence de sables dans le mortier de chaux, viennent compléter la palette générale à dominante claire.

La palette ponctuelle contraste en valeurs et en tonalités. Les soubassements gris, ou noir de goudron, soulignent de leur trait sombre le dessin de la façade. Les peintures des menuiseries rappellent les couleurs utilisées en Bretagne le long du littoral : le bleu est la teinte privilégiée ; le vert est aussi très employé à tous les niveaux de son échelle de clartés, depuis le vert sombre jusqu'au vert vif. Dans cette région, portes, fenêtres et volets sont généralement peints de la même couleur.

Ces illustrations présentent quelques tendances dominantes de la palette vendéenne. Elles résument les informations chromatiques recueillies dans cette région au cours des analyses de site et peuvent constituer un point de départ pour l'élaboration de nouvelles harmonies, en rapport avec les données de l'habitat traditionnel que les planches de synthèse rassemblent de façon schématique.
Ces illustrations ont, en outre, l'avantage de faire figurer les toits qui ont une grande importance visuelle dans le paysage, car ils constituent l'un des deux éléments de la palette générale.
En Vendée et en Charente-Maritime, les toitures sont presque toujours recouvertes de tuiles canal beige rosé.

304

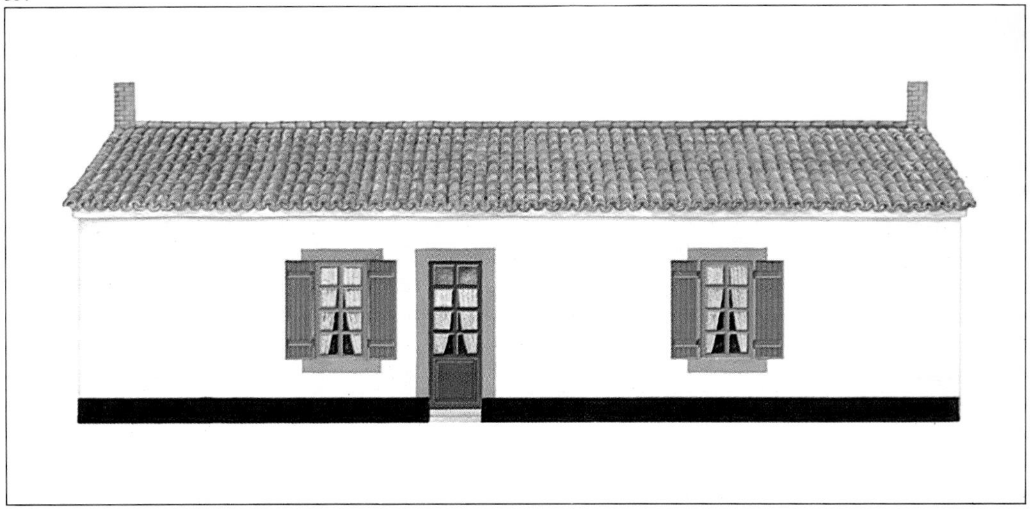

305

306

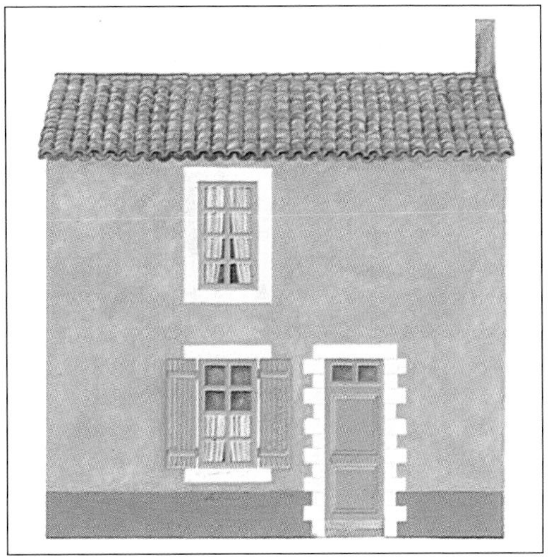

307

304 La longue façade est recouverte d'un lait de chaux éclatant que souligne d'un contraste très affirmé l'horizontale du soubassement goudronné. Les volets verts prennent ici toute leur intensité.

305 Une treille agrémente la façade enduite au mortier de chaux gris coloré, à la matière vivante.
Comme c'est généralement le cas dans cette région, une même couleur ponctue toutes les menuiseries.

306 Cette habitation présente un camaïeu de verts : le vert tilleul de la porte, des fenêtres et des volets se poursuit en tonalité atténuée sur l'enduit à base de chaux. La teinte claire des encadrements et le gris moyen du soubassement contribuent à la douceur de l'harmonie.

307 Le rouge affirmé des menuiseries apporte sa note de couleur vive aux tonalités neutres dominantes de cette palette.

Le Poitou

308

308 La Garette est un petit hameau situé à une douzaine de kilomètres à l'ouest de Niort, aux confins du Marais poitevin appelé aussi « Venise verte ». La rivière où dorment les barques noires des maraîchins coule lentement au pied de quelques maisons à l'appareillage de pierres calcaires parfois enduit de crépi ocré. Les toits sont en tuiles canal légèrement rosées et contrastent avec les murs, davantage par leur coloration que par leur valeur très voisine.

Palette ponctuelle
Les encadrements de portes et de fenêtres des maisons crépies, ainsi que les chaînages d'angle sont en pierres taillées, soigneusement appareillées, qui font contraster délicatement la teinte beige ocrée du calcaire avec celle, généralement plus soutenue, de l'enduit.
Dans les plaines du sud du Poitou, le rez-de-chaussée de la façade est souvent agrémenté, à gauche ou à droite de la porte d'entrée, d'un œil-de-bœuf ("l'œil du bac") éclairant l'évier ("le bac") à l'intérieur de la pièce.
Les souches de cheminées en pierres ou en briques sont protégées à leur faîte par des tuiles romaines, scellées au mortier de chaux, dont la couleur rappelle celle de la toiture.
Les soubassements contrastent en valeur avec le mur enduit. Ils sont parfois plus clairs, mais habituellement plus soutenus, surtout depuis que se répand l'usage d'un enduit ciment qui décline toute sa gamme de gris.
Les menuiseries peintes apportent leur note de raffinement à l'ensemble de cette palette.

318

319

320

318 Belle ordonnance de cette demeure ancienne, Petite-Rue-Saint-Louis, à Lusignan (Vienne). La porte d'entrée, encadrée de pierres de taille ouvragées, est surmontée d'un élégant fronton mouluré. Les couleurs de cet encadrement et de l'enduit de la façade sont en prolongement des tonalités de la pierre, mais la différence de leurs textures donne à chacun de ces matériaux un effet de coloration qui lui est propre. Les menuiseries gris clair créent avec la palette générale chaude un contraste suffisamment fort pour animer cette façade.

319 La Crèche est un bourg des Deux-Sèvres qui s'étire le long de la route nationale. L'homogénéité architecturale et chromatique de l'ensemble des façades nous a conduit à effectuer le relevé systématique des vingt-cinq maisons qui font l'objet d'une des deux planches de synthèse. On peut encore constater la sobriété de la gamme de couleurs dominée par les beiges et les gris clairs. La palette ponctuelle contraste faiblement avec la palette générale, à l'exception des portes qui, le plus souvent, font appel aux tons bois, au marron et au brun Van Dyck.

320 A Soudan, dans les Deux-Sèvres, porte cochère en anse de panier. Le ton bois soutenu du portail prolonge dans une valeur plus intense la tonalité terre du crépi tyrolien. Le soubassement en ciment lissé souligne de sa valeur neutre l'ensemble de cette coloration homogène que fait chanter le blanc des encadrements.

322

321

323

324

Les portes sont de couleur sombre, vert ou brun foncé, ou en bois verni plus ou moins déteint, ou encore sont couvertes de la même peinture que les fenêtres et les volets.
Ces menuiseries offrent alors une palette de tonalités discrètes et délicates, avec toutes les nuances de gris et de beiges colorés.
Dans les villes, les fenêtres et les volets blancs, gris très clair ou blanc-beige donnent un aspect soigné aux façades. A Niort, les fenêtres et les volets blanc crème ou ivoire offrent un contraste très fin avec les façades de calcaire blanc.
Les fenêtres sont souvent agrémentées de jolis rideaux blancs en dentelle. Des pots de cyclamens, alignés sur leur rebord, leur donnent un air gai et accueillant.

321 Près de Coulon, dans le Marais poitevin, mur de clôture en moellons calcaires disposés régulièrement en lits horizontaux, liés avec un mortier à base de terre. Les jeux d'ombre et de lumière font apparaître la qualité de la texture et de la disposition de cet appareillage.

322 Détail de mur de façade à La Garette, hameau situé sur les bords de la Sevreau, dans le Marais poitevin. La patine du temps fait apparaître la superposition des couches d'enduit qui se sont succédé pour protéger les moellons calcaires des intempéries. On peut constater l'homogénéité des couleurs dans les tons beiges et sable, ainsi que la qualité des matières et textures qui n'est pas sans rappeler certaines recherches de peintres abstraits.

323 Détail de maison paysanne du Haut-Poitou, entre Iteuil et Vivonne (Vienne). Il est intéressant de constater que les couleurs de la maçonnerie revêtue d'un enduit taloché à base de chaux se déclinent ainsi que celles des menuiseries dans une même palette de tons ocrés. L'encadrement de la fenêtre est souligné de peinture blanche et contraste agréablement avec ce camaïeu de couleurs terre. Le motif géométrique du voilage apporte une note délicate et personnelle à l'harmonie de cet ensemble.

324 Fenêtre et volets d'une maison ancienne située sur la petite place de La Garette (Deux-Sèvres). La juste valeur du gris bleuté des menuiseries contraste sobrement avec la maçonnerie vieillie. Ces tonalités discrètes sont mises en valeur par la vivacité des roses profonds du cyclamen, en cette fin d'après-midi de février. Cette ponctuation de couleurs vives rappelle l'importance de ce que nous avons appelé « couleurs impermanentes » dans l'animation chromatique du paysage.

325

326

327

328

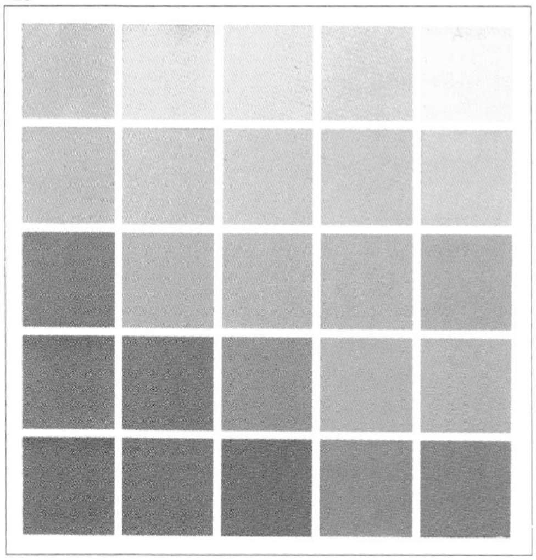

325/326 Ces planches de synthèse proposent l'inventaire des maisons répertoriées avenue de Paris, à La Crèche dans les Deux-Sèvres.
L'analyse des couleurs de ce département se trouve résumée par cette étude menée sur un site particulièrement homogène sur les plans architectural et chromatique.
L'impression colorée qui se dégage de la palette générale des façades (photo de gauche) est dominée par les tons clairs des enduits : crème, sable, beige et ocre jaune clair.

Cette planche est la synthèse chromatique des maisons étudiées à La Crèche, avenue de Paris, du n° 8 au n° 34. On peut reconnaître, dans la même répartition, les couleurs de façades présentées sur la planche de gauche. Ici, chacune des maisons analysées reproduit schématiquement les couleurs des différents composants de la palette ponctuelle : soubassements, portes, fenêtres et volets, ainsi que celle des toitures.

327/328 Cette planche de synthèse a été réalisée à partir de l'analyse des couleurs de la rue Jean-Macé, située dans un quartier ancien de Poitiers (Vienne). C'est la cohérence des couleurs de cet espace urbain qui a guidé notre choix. Ce quartier est en cours de restauration, mais ses maisons n'ont pas encore fait l'objet de travaux. On constate que la palette des façades (présentée à part sur la planche de droite) est de valeur plus sombre que celle des façades de La Crèche. Les toits font apparaître les tonalités brunes de la tuile et grises de l'ardoise.

Quant à la palette ponctuelle, elle est dominée par la couleur sombre des portes qui contraste fortement sur l'enduit : bois verni, marron foncé et brun Van Dyck.
La comparaison entre les analyses de site faites dans les Deux-Sèvres et dans la Vienne révèle une homogénéité remarquable dans les tonalités, avec des valeurs plus ou moins soutenues.

Les pays de la Loire

329

329 A Blois, le paysage urbain qui s'étend sur les rives de la Loire révèle les deux tonalités qui personnalisent la palette générale de l'architecture tourangelle : gris bleuté des toitures et blanc grège des façades qui allient le tuffeau et l'enduit à base de sable. La palette ponctuelle est essentiellement représentée par le rouge brique des souches de cheminées et le gris clair des menuiseries peintes. Le vert sombre des arbres crée un vigoureux contraste chaud-froid avec la couleur de la terre cuite.

330

A l'évocation des divers pays de la Loire : Orléanais, Touraine et Anjou, on entrevoit des paysages baignés de lumière douce où règnent la beauté et l'harmonie d'une nature généreuse.
Au sein d'un tel environnement, l'architecture ajoute à son équilibre et son élégance des qualités chromatiques très particulières. Dans cette région, s'affirme une dominante de tonalités délicates provenant du tuffeau, de l'ardoise et des enduits doucement colorés par le sable de rivière ou de carrière.
Si l'ardoise et le tuffeau prédominent, on trouve cependant d'autres matériaux de construction tels que la brique et la tuile qui donnent aux habitations, et surtout aux maisons rurales, un aspect visuel différent, comme c'est le cas en Sologne.

330 Dans la ville de Chinon, sous les toitures d'ardoises patinées, la lumière frisante du soir accentue le contraste entre le gris coloré du schiste et la blancheur du tuffeau qui reflète la lumière. Les souches de cheminées apportent à cette gamme la chaude tonalité de leurs briques orangées.

Palette générale
En Anjou et en Touraine, le matériau employé pour la construction des murs est le *tuffeau*, pierre calcaire blanchâtre provenant généralement de la région du Saumurois. Ce beau matériau n'est pas seulement l'apanage des cathédrales, monuments et manoirs, il sert également à la construction des fermes et des maisons paysannes, sinon en totalité, du moins pour la façade, le pignon étant souvent, par mesure d'économie, réalisé en moellons enduits.

331

332

Sur le plan visuel, le tuffeau offre un éventail de tonalités claires et chaudes dont les nuances subtiles correspondent à divers degrés de qualité, laquelle est fort inégale selon les carrières.
Ainsi le tuffeau blond offre une meilleure résistance aux intempéries que le gris qui, friable et sujet au salpêtre, est réservé de préférence aux parties abritées. L'appareillage de pierre de taille est à peine souligné par une fine trame de joints au mortier de chaux grasse, auxquels le sable de Loire confère une teinte légèrement ocrée.
L'*ardoise*, qui autrefois ne couvrait que les églises, les châteaux et les maisons bourgeoises, est aujourd'hui le mode de couverture le plus répandu dans cette région, exception faite des Mauges et du Choletais où prédomine la tuile.

333

331 Tuiles plates et brunes forment une agréable palette, en belle continuité avec la brique des façades de ce moulin solognot, à Jouy-le-Potier. Les menuiseries sont peintes en vert anglais foncé, en parfaite cohérence avec le vert sombre des feuillages.

332 Cette façade Renaissance, des environs d'Amboise, rassemble une synthèse des matériaux de construction des bords de la Loire : appareil mixte en damier faisant alterner la brique et le tuffeau, enduit de mortier de chaux, toiture d'ardoises sombres ou de tuiles plates, menuiseries en bois verni ou gris clair.

333 Cette grange toute simple dans ses lignes, ses proportions, ses matériaux et ses couleurs, rassemble les diverses qualités chromatiques de l'architecture de cette région. Les contrastes sont tout en nuances : gris moyen de l'ardoise et gris plus clair ou plus foncé des menuiseries, ton pierre laiteux du tuffeau et ton sable rosé du sol. La tuile plate brunâtre représente l'élément le plus coloré et le plus animé de cette palette architecturale dominée par les valeurs claires.

334

334 D'où vient l'intérêt chromatique de cette composition architecturale ? Les couleurs de ce petit ensemble rural sont très sobres, mais c'est le rapport qualitatif et quantitatif de ces quelques teintes entre elles qui lui donne un charme si particulier. Les gris moyens dominants – ceux de l'ardoise et du pignon en tuffeau – s'expriment dans une vibration pointilliste et contrastent avec la valeur claire de la façade de tuffeau ivoire et l'allée sable du jardin. Les verts tendres des menuiseries fraîchement repeintes réveillent avec vigueur cette harmonie de gris (environs de Tours).

335

335 Aux environs d'Allonnes (Eure-et-Loir), ensemble architectural typique de la Beauce, où l'ardoise sombre affirme l'horizontalité des toitures, dans une valeur très voisine du noir. D'autres toitures en tuiles plates, en amiante-ciment ou même en tôle accompagnent, dans une juste valeur, le gris de la pierre patinée des façades.

336

337

Les principaux gisements d'ardoise, aux gris bleutés finement colorés, exploités en Anjou depuis la fin du VIe siècle si l'on en croit la tradition, sont ceux de Combrée, Noyant-la-Gravoyère, La Pouèze et surtout Trélazé. Taillée suivant les formes les plus diverses, elle permet la réalisation d'élégantes courbures ainsi que les pénétrations de toitures qui donnent aux couvertures des pays de la Loire un charme tout particulier. La Beauce, qui, avec la Sologne, fait partie de l'Orléanais, est une région où les maisons sont également construites en pierre locale, recouverte cependant d'un *crépi* au mortier de chaux et de sable qui lui confère une chaude coloration dans une gamme de coloris très étendue : blond si le sable est tiré de la Loire, ocre, gris parfois rosé, s'il est extrait des carrières avoisinantes.
En Sologne, région de bois et d'étangs où manque la pierre, les maisons sont en terre cuite et offrent de chaudes tonalités. La maison solognote était anciennement construite en bois avec un hourdis en torchis. La brique et la tuile plate sont par excellence les matériaux de construction des petites maisons rurales qui se fondent harmonieusement avec les couleurs des feuillages quand vient l'automne.

336 Avec le tuffeau, c'est la couleur et la matière de l'ardoise qui dominent dans la palette chromatique de cette région de France. Se détachant sur le gris sombre de l'ardoise, la lucarne de pierre de taille est souvent l'élément le plus ouvragé de la construction. La nature très tendre du tuffeau est mise à profit pour créer d'innombrables formes et une ornementation aussi élégante que variée (Restigné, Indre-et-Loire).

337 Cette élégante tourelle d'une habitation saumuroise, en appareil régulier de pierre de taille, met en valeur la couleur et la matière du tuffeau blond local. Dans une valeur très proche, les joints sont en mortier de chaux discrètement coloré par le sable de Loire.

La particularité de ces murs en pierre de taille, c'est que les joints dessinent sur les façades une résille légère et presque transparente ; celle-ci contribue à l'impression de douceur qui se dégage de cette architecture. Les blocs de tuffeau sont généralement taillés en trois formats qui se répartissent ainsi : « la douelle » : 58 × 32 × 20 cm, destinée aux habitations ; la « baraude » : 58 × 32 × 25 cm, destinée aux édifices plus importants tels que les églises ; le « gabarie » : 58 × 33 × 33 cm, destiné aux constructions de plus grande échelle telles que les châteaux.

338

La *brique* est rousse, parfois émaillée de brun tête de nègre pour les décors géométriques de la façade. Lorsqu'elle est employée comme matériau à hourdir dans les anciennes maisons à colombage, on remarque sa disposition « en feuilles de fougères » à l'intérieur des panneaux rythmés par les bois apparents. Très bien proportionné, le colombage est l'élément caractéristique de la maison solognote traditionnelle.
Quant à la *tuile*, elle présente de chaudes couleurs brunes et rousses très semblables à celles de la brique.

338 Sur ces maisons du bourg de Châtillon-sur-Loire (Loiret), deux tonalités dominent : brun de la toiture en tuiles plates, brun Van Dyck pour les menuiseries de droite et sable ocré pour les murs que l'on retrouve en valeur plus claire sur les menuiseries de gauche ; les encadrements sont uniformément blancs. Sur ces maisons mitoyennes dont la palette générale est la même, on peut aisément comparer l'effet que produit sur l'ensemble la valeur claire ou sombre des volets.

339

340

341

Palette ponctuelle
Dans les pays de la Loire, les *soubassements* sont souvent inexistants ou, du moins, n'ont pas une grande importance visuelle. Lorsque la maison est enduite, ils sont généralement de même tonalité que le reste du mur, mais leur valeur est plus soutenue. Il arrive que, sur certaines façades de tuffeau, le soubassement soit constitué de pierres moins gélives et que l'on note par conséquent une différence dans les teintes.
Le tuffeau est une pierre tendre qui se travaille aisément ; aussi les *encadrements* de portes sont-ils souvent richement ornés de frontons et de motifs sculpturaux. En Sologne, les encadrements de portes et de fenêtres associent souvent la brique et la pierre dont l'alternance fait chanter l'unité chromatique de la façade.
La même combinaison de briques rouges et de pierres blanches se retrouve parfois sur les *souches de cheminées*, lesquelles sont cependant, dans la majorité des cas, soit en brique, soit en pierre de taille.
Lorsque les *menuiseries* ne sont pas traitées en tonalités brunes – bois naturel ou verni, marron, brun Van Dyck –, elles présentent deux dominantes chromatiques correspondant chacune à un type d'architecture spécifique. Une dominante de tonalités claires et douces – du blanc, des bleus, des verts amande et des gris colorés – accompagne harmonieusement la belle maison en tuffeau couverte d'ardoises gris bleuté, tandis qu'une dominante de tonalités plus affirmées – bruns chauds, ocre et verts forêt – anime plus particulièrement les façades de brique et les murs crépis.
On constate très souvent dans les pays de la Loire comme en d'autres régions, le Soissonnais par exemple, que les éléments ponctuels des façades, de valeur blonde et claire (tuffeau ou crépi de teinte pastel), sont en général de clarté peu contrastée par rapport au fond.
On remarque ainsi sur les volets l'utilisation fréquente d'un beige clair ou d'un ivoire, parfois remplacés par un gris neutre ou un gris bleuté, dont les valeurs contribuent à l'impression de finesse et de douceur qui se dégage de l'architecture de ces régions.

339 Cette maison paysanne des environs de Chenonceaux se décline dans un camaïeu de tonalités chaudes à base d'oxyde rouge : brun texturé de la toiture, vieux rose de la façade, brun-rouge des menuiseries.

340 Enduit ocre rouge à La Flèche (Sarthe). La couleur des portes, l'une foncée, l'autre claire, est une illustration très significative de l'importance du choix des valeurs pour l'animation d'une façade ; la tonalité foncée, en évoquant l'ombre, crée un effet de trou. Le ton bois des fenêtres et des volets est en camaïeu avec le brun du mur.

341 Près de La Ferté-Saint-Aubin (Loiret), cette façade paysanne résume les matériaux de la Sologne, aux dominantes de terre cuite. Le blanc de la pierre calcaire ponctue les encadrements suivant une coutume très en faveur dans le Blésois au XIXe siècle, et le vert des menuiseries contraste en tonalité avec la brique, tout en étant de même valeur.

342

342 Jeu de gris chauds et froids : gris ocré chaud de l'enduit, gris bleuté froid de la porte et des volets (Candé-sur-Beuvron, Loir-et-Cher).

356

356 Avec ses murs de pierre calcaire et ses toits de tuiles brunes, Fixin, en Côte-d'Or, présente la physionomie classique d'un petit village bourguignon. La coloration des couvertures rappelle, à certaines heures de la journée, les vibrations de la chaude lumière d'automne sur les vignobles.

357

358

359

360

357 Sur cette façade de Pontaubert (Yonne), le brun sombre des toitures contraste en valeur avec le ton sable du crépi, dont la demi-teinte de gris coloré se prolonge sur le trottoir et la chaussée. Le vert sombre des menuiseries apporte un élément de coloration affirmée qui participe à l'équilibre de cette architecture.

358 Deux tonalités suffisent pour donner son caractère à cette habitation classique où le gris neutre de la couverture et des menuiseries accompagne sobrement la façade ocre jaune un peu grisée par la patine du temps (Avallon).

359 La répartition symétrique des ouvertures, soulignée par les massifs encadrements de granit gris, donne un caractère imposant à ce bâtiment de ferme, situé à Vauclaix (Nièvre), à l'ouest du Morvan. La couleur de cette façade est enrichie par la qualité des matières : moellons bruns, mortier ocré à base de chaux, granit rugueux et portes en bois vieilli naturellement.

360 Les crépis roses, fréquents en Bourgogne, sont en bonne relation visuelle avec les menuiseries gris moyen, gris bleuté ou brun-rouge comme la couleur des tuiles (Sémézanges, Côte-d'Or).

361

Palette générale
Du fait de son abondance, la pierre a été naguère utilisée comme matériau de couverture sur les maisons rurales, les résidences bourgeoises et les maisons urbaines étant couvertes de tuiles plates. La beauté des toits de « laves » réside dans leur structure très affirmée, qui accroche la lumière, et dans leur continuité visuelle de matières et de couleurs avec les murs.
On trouve des tuiles romaines sur les toitures à faible pente de la ferme bressane et, dans le nord du Mâconnais, on découvre une zone transitoire où coexistent, de façon pittoresque, tuiles canal et tuiles plates sur des pentes plus ou moins accusées.
Mais le matériau de couverture le plus caractéristique est la tuile plate, dite « tuile de Bourgogne », qui s'est généralisée sur les maisons rurales à partir de 1830 environ. C'est une tuile de petite dimension, à bout carré, dont la couleur varie d'une commune à l'autre avec la composition de l'argile locale ; ses tonalités vont de l'ocre clair au rose quand elle est neuve, et virent au brun chaud avec les années.
Vues de loin, les tuiles bourguignonnes, dont les couleurs sont mélangées sur un même toit, donnent, par leur variété chromatique, une vibration de camaïeu pointilliste aux villes et aux villages. L'ensemble des toitures forme une tache colorée et animée, en contraste complémentaire avec l'environnement végétal.
Certaines couvertures présentent une recherche d'animation graphique intéressante avec leurs décors linéaires de tuiles rouges, ocre et brunes.
Dans les régions de vignobles, aux environs de Beaune et de Dijon, on peut admirer les dessins géométriques des tuiles vernissées de couleurs rouges, vertes, noires ou ocre, ornant les toits des monuments et des maisons bourgeoises.
Les toits bourguignons sont les toits les plus décorés de France.
Les murs sont le plus souvent construits en pierre calcaire dure du Jurassique qui abonde sur les plateaux et sur les côtes tout autour des terrains primitifs de granit, grès et schistes du Morvan et de l'Autunois.
La couleur de la pierre calcaire varie en fonction du terrain. Elle est généralement blanche. Lorsqu'elle est très blanche, elle est plus tendre et plus gélive que la pierre légèrement grisâtre. En Côte-d'Or et en Auxois, existent aussi des calcaires dont les tonalités ocre jaune et ocre rouge s'affirment de plus en plus, au fur et à mesure que l'on descend vers le sud, jusqu'en Mâconnais où le calcaire se mêle parfois au grès rouge.
La structure de la pierre calcaire est magnifique, surtout lorsqu'il s'agit d'une pierre très dure que les coups d'outil ont marquée d'une empreinte quasi définitive.
L'horizontalité de l'appareillage est également remarquable et d'autant plus nette qu'elle est soulignée par les ombres régulières entre les rangées de moellons superposés à sec, l'assise naturelle des pierres permettant l'absence de tout liant.

361 Les palettes générale et ponctuelle de ces façades urbaines de Saulieu présentent une gamme d'une grande sobriété. Sur les enduits et crépis gris ou sables, se détachent en valeur plus claire des menuiseries blanches, ou gris clair rompu de terre d'ombre. Par leurs tonalités sombres, les tuiles brunes des toits à deux pans donnent l'accent tonique à cet ensemble et contrastent avec le reste de la palette.

362

362 A Joigny, sur les bords de l'Yonne, cet ensemble de façades urbaines témoigne d'une grande unité sous une couverture de tuiles plates et brunes. Les crépis des façades sont colorés dans une gamme de nuances très proches les unes des autres : grège, sable ou beige, qui sont mises en valeur par les tonalités claires de la palette ponctuelle : encadrements de ton pierre et menuiseries gris pastel. A ces chaudes tonalités minérales et permanentes, se juxtaposent en contrepoint les couleurs froides et impermanentes du paysage naturel. Les bandes horizontales du ciel et du plan d'eau gris bleuté, ainsi que le vert végétal de la colline encadrent l'architecture. Comme les pompons d'une passementerie, le feuillage vert sombre des arbres rythme vigoureusement cette composition.

363

364

La gamme chromatique des enduits est très subtile. Ses tonalités vont de l'ocre clair à l'ocre foncé en passant par des roses plus ou moins soutenus.
L'enduit ne couvre pas systématiquement tous les murs d'une habitation. Il peut être réservé à la façade, ou encore au seul auvent. Souvent, il se décolle, laissant apparaître l'appareillage régulier des moellons calcaires. Il est davantage utilisé dans les villes et les bourgs que dans l'habitat rural où il reste exceptionnel, le calcaire jurassique étant par lui-même suffisamment résistant aux intempéries. Dans le Mâconnais cependant, où les moellons disponibles sont plus petits, on constate l'emploi plus fréquent de mortier de chaux aux tonalités ocrées, parfois même rouges, dues à la présence d'argile à silex et de sables fossiles ocre.

365

363 A Mâcon, sur les quais de la Saône, belles façades urbaines dans la lumière d'une matinée d'octobre. Le caractère de ces maisons aux couleurs discrètes provient essentiellement de la modénature, des lignes directrices et des ouvertures. Ici, la gamme générale est d'une grande sobriété, l'animation colorée se déployant davantage au niveau piétonnier, que les stores et les enseignes des boutiques décorent de leurs notes aléatoires de couleur vive.

364 A Beaune, sobre façade où prédominent le brun sombre de la toiture et l'ocre du crépi. Les fenêtres créent une ponctuation en valeur plus claire et sont vigoureusement encadrées de blanc.

365 Le gris neutre du crépi de cette maison de Charolles subit un contraste simultané et, par l'intervention du brun des tuiles et des menuiseries, se transforme en un gris bleuté. Le contraste simultané est le résultat d'un phénomène purement optique découvert par Eugène Chevreul au XIXe siècle. Devant n'importe quelle couleur considérée, l'œil appelle la couleur complémentaire et la produit si elle est absente, surtout en présence de gris.

366

366 La pierre calcaire que l'on trouve en Bourgogne s'exprime généralement dans des valeurs claires. Elle présente localement des variantes chromatiques : blanc crayeux des plateaux et des côtes, ocre jaune et rose s'affirmant au fur et à mesure que l'on approche du Mâconnais. Ce matériau a une belle structure, surtout lorsqu'il s'agit d'une pierre très dure qui garde l'empreinte des coups d'outil, particulièrement apparente sous la lumière frisante. Laissée à nu, la pierre est parfois utilisée sans mortier, à sec, ou encore jointoyée au mortier de terre.

367

368

369

370

371

Palette ponctuelle

Les couleurs d'accompagnement contrastent peu avec celles de la palette générale. Les soubassements gris, beiges ou ocre sont parfois de même tonalité que les murs, mais avec une valeur plus soutenue.

Les encadrements de portes et de fenêtres sont réalisés en belles pierres de taille soigneusement travaillées. Lorsque l'ouverture est trop large pour permettre l'utilisation d'un linteau de pierre monolithe – dans le cas de portail ou de grange –, la voûte en plein cintre est réalisée avec des pierres de taille ou avec des moellons réguliers en arc surbaissé, caractéristique des maisons auxoises.

Les linteaux en pierre de taille sont parfois ornés de moulures et rehaussés d'éléments de décharge apparents qui constituent à eux

367/368/369 Les tuiles plates de Bourgogne déclinent leurs tonalités de terre cuite dans une gamme étendue de bruns et ocre rouge. La perception élémentaire de la surface des toits donne une impression de grande richesse de matières et de couleurs, qui est due à la vibration optique de ces touches de couleurs juxtaposées.
D'élégantes lucarnes en pierre moulurée et parfois même sculptée ornent les toitures et confèrent aux maisons charme et caractère. (Saulieu et Semur-en-Auxois).

370 La tuile vernissée multicolore, appliquée en ornement décoratif sur les toitures de certains monuments, est une des particularités de l'architecture bourguignonne. L'Hôtel-Dieu de Beaune, datant du XVe siècle, et le château féodal de Berzé-le-Châtel en sont les exemples les plus significatifs. Les motifs géométriques forment une mosaïque chatoyante où s'associent les bruns, les ocres, les noirs et les verts. Quelques maisons d'habitation présentent, elles aussi, des motifs décoratifs sur leurs toitures, sous forme de bandes de tuiles brun foncé et brun clair (Hôtel-Dieu de Beaune).

371 Les tuiles brunes, étroites et plates, qui caractérisent les toits bourguignons furent implantées dans cette province par les moines cisterciens. Ceux-ci les fabriquèrent avec l'argile locale pour couvrir leurs abbayes. La variété de leurs tonalités brunes, que modifient parfois les mousses et les lichens, fait toute la chaleureuse beauté de ce paysage d'Auxerre.

372

373

374

375

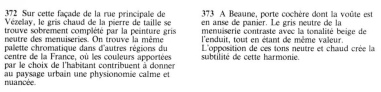

372 Sur cette façade de la rue principale de Vézelay, le gris chaud de la pierre de taille se trouve sobrement complété par la peinture gris neutre des menuiseries. On trouve la même palette chromatique dans d'autres régions du centre de la France, où les couleurs apportées par le choix de l'habitant contribuent à donner au paysage urbain une physionomie calme et nuancée.

373 A Beaune, porte cochère dont la voûte est en anse de panier. Le gris neutre de la menuiserie contraste avec la tonalité beige de l'enduit, tout en étant de même valeur. L'opposition de ces tons neutre et chaud crée la subtilité de cette harmonie.

374 L'encadrement des ouvertures, faisant alterner briques noires et rouges liées d'un mortier de chaux clair, constitue l'ornementation des maisons situées aux confins de la Bourgogne et de la Champagne. Le gris neutre des menuiseries contraste avec le gris chaud du crépi de ciment.

375 Porte à panneau mouluré à Joigny. Le gris bleuté froid de la porte contraste de façon nuancée avec le crépi de ciment gris chaud. Ce rapport de tons est mis en valeur par l'encadrement blanc crème. A cette palette délicate, s'ajoute le gris plus clair du soubassement.

376

377

378

seuls une ornementation fonctionnelle certes, mais souvent remarquable sur le plan esthétique.
Une certaine recherche apparaît quelquefois dans le choix de la pierre de taille destinée aux encadrements. Elle est de valeur plus claire que l'appareillage de moellons, durs et grisâtres, du mur et fait un rappel de liaison avec les chaînes d'angle de même nature.
Les menuiseries, elles, contrastent peu avec l'ensemble de la palette ou, s'il y a contraste, celui-ci repose sur des oppositions de valeurs : ocre clair – ocre foncé ou encore gris clair – gris foncé, plutôt que sur des oppositions de tonalités. Les couleurs dominantes sont les gris, les gris bleutés, les tons bois et le brun Van Dyck, en constante harmonie avec les tonalités chaudes et claires de la pierre ou de l'enduit.

Ces illustrations présentent quelques tendances dominantes de la palette bourguignonne. Elles résument les informations chromatiques recueillies dans cette région au cours des analyses de site et peuvent constituer un point de départ pour l'élaboration de nouvelles harmonies, en rapport avec les données de l'habitat traditionnel que les planches de synthèse rassemblent de façon schématique.
Ces illustrations ont, en outre, l'avantage de faire figurer les toits qui ont une grande importance visuelle dans le paysage, car ils constituent l'un des deux éléments de la palette générale.

Du fait de leur volume, les toitures bourguignonnes se remarquent beaucoup. Elles sont couvertes de tuiles plates brunes et présentent parfois un décor obtenu par la juxtaposition de tuiles de tonalités différentes. Si ce détail architectural n'est pas fréquent, on le trouve en tous points de la Bourgogne.

376 La palette bourguignonne se caractérise par des harmonies de couleurs discrètes, ainsi qu'en témoigne cette vaste demeure. L'enduit ocré de la façade est délicatement accompagné par la tonalité plus claire du soubassement et des encadrements. Le gris clair des menuiseries confirme la sobriété de cette harmonie, avec laquelle l'élément végétal est le contraste le plus marquant.

377 Les bruns et les gris sont les coloris dominants de cette habitation à caractère urbain : le brun du soubassement reprend la tonalité sombre de la tuile et encadre le camaïeu de gris de l'enduit et des menuiseries. Le blanc des encadrements ponctue les ouvertures de sa couleur contrastante.

378 C'est un camaïeu d'ocres roses déclinés à partir d'oxyde rouge qui fait la qualité de cette palette. Le brun foncé des portes, des fenêtres et des volets contraste d'autant plus avec l'enduit qu'il est encadré d'une valeur claire.

379

380

381

382

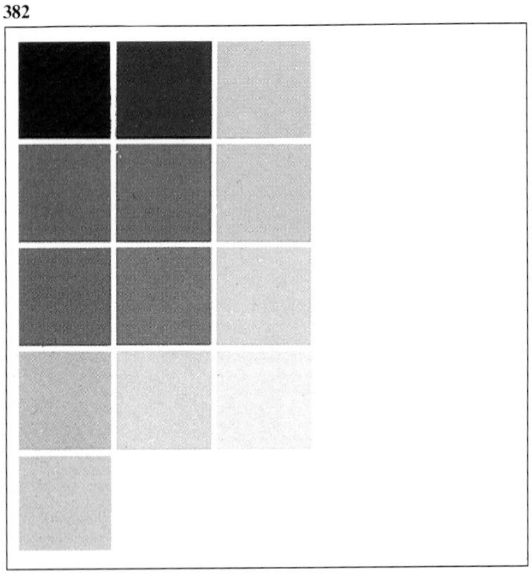

383

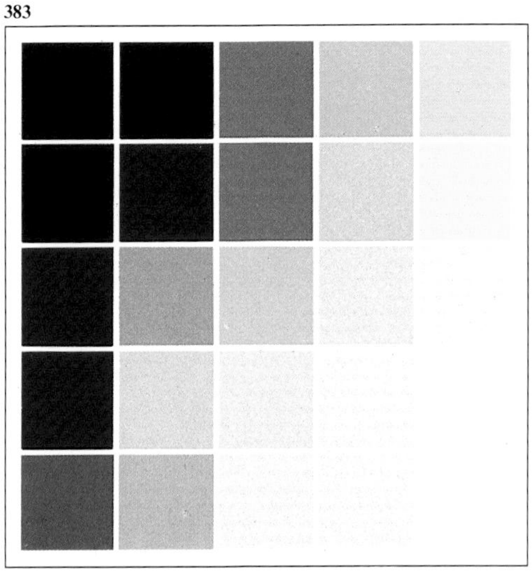

384

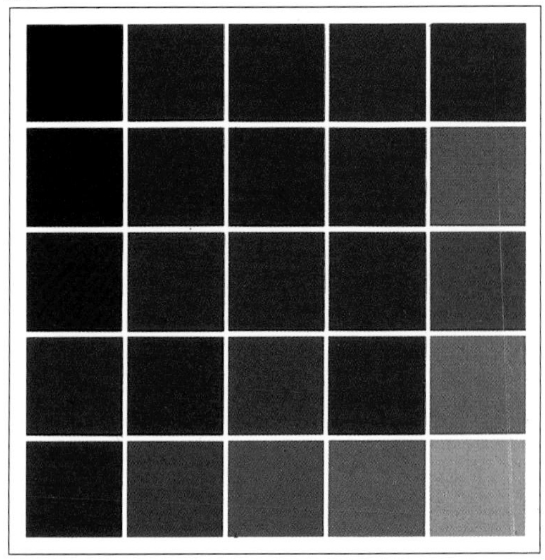

385

386

387

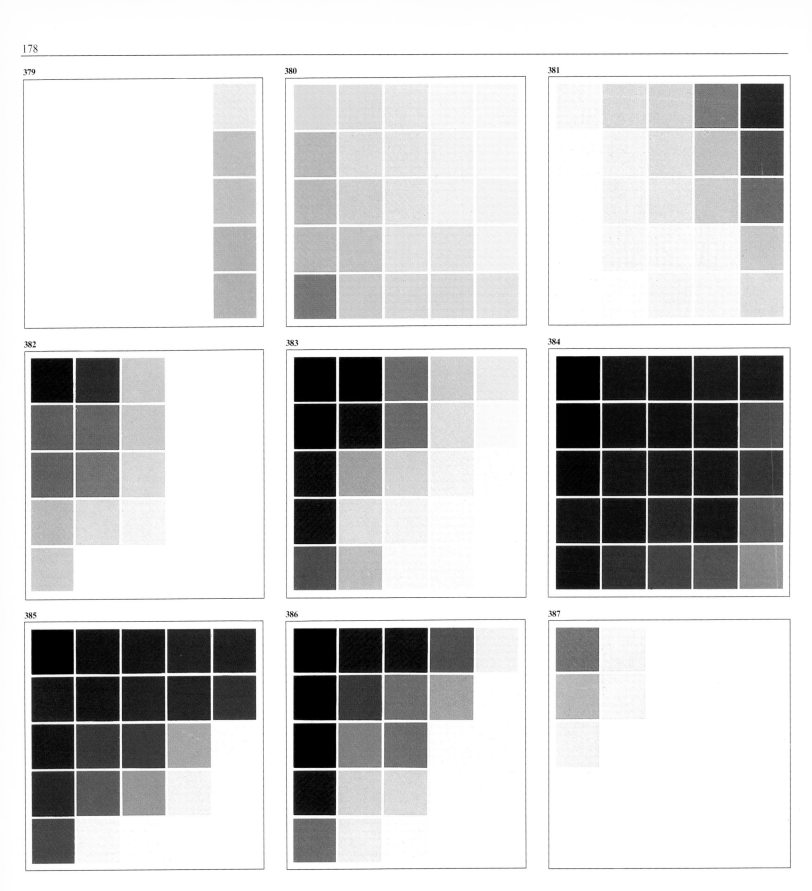

Ces planches de couleurs proposent l'inventaire des maisons répertoriées en Bourgogne, classées par familles de portes, volets et murs.

379/380/381 *Les murs*
L'impression chromatique qui se dégage de la palette générale des façades est dominée par les tons rosés et ocre jaune des enduits qui apportent leurs chaudes tonalités aux valeurs claires et neutres de la pierre calcaire et des crépis grège et gris coloré.

382/383/384 *Les portes*
Par leur ponctuation, généralement sombre, les portes sont en contraste de valeurs avec les tonalités claires des murs. Cette palette se répartit en trois dominantes principales : rouge-brun, vert et gris moyen.

385/386/387 *Les volets*
La gamme des volets, comme d'ailleurs celle des fenêtres, reprend les mêmes tonalités que celles des portes.

388

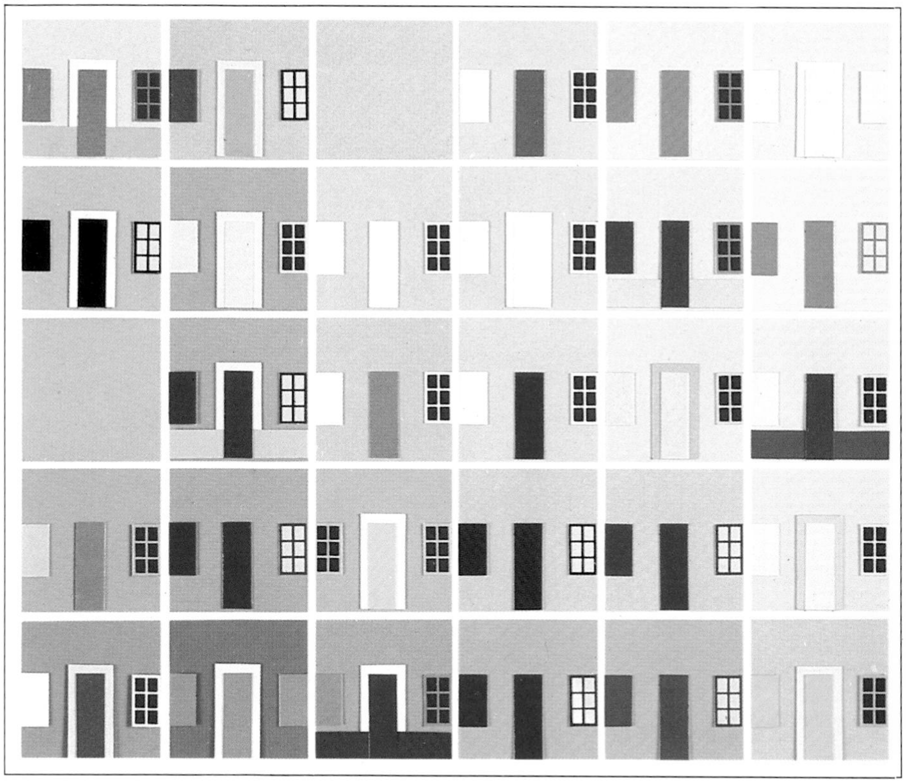

389

388/389 En superposant la palette ponctuelle sur la palette générale, on obtient la reconstitution synthétique des façades analysées. La sobriété dans le choix des couleurs caractérise la palette bourguignonne.

L'Auvergne

390

390 Petite ville fortifiée de Haute-Auvergne, Salers garde aujourd'hui encore une très belle unité architecturale et chromatique due à la cohérence de ses proportions et à la nature de ses matériaux de construction. La palette générale — toits et façades — présente toute la diversité des gris de la lave et du schiste utilisé pour la couverture sous forme de lauzes. Une telle qualité d'ensemble ne peut être sauvegardée que grâce à l'action conjuguée des habitants et de leur municipalité. En ce 1er mai 1989, la neige qui couvre encore le puy Mary permet d'évaluer l'échelle de clarté des composants de ce vaste paysage.

L'Auvergne occupe le cœur du Massif central et comprend principalement les départements du Cantal et du Puy-de-Dôme. Le Puy-de-Dôme constitue la Basse-Auvergne : une vaste plaine, les Limagnes, est resserrée entre deux massifs montagneux, les monts du Livradois et du Forez à l'est, la chaîne des Puys et les monts Dôme à l'ouest. C'est un pays complexe, aux aspects fort divers. Les hauteurs granitiques de l'est du département, rabotées par l'érosion, contrastent avec les puissants reliefs volcaniques des monts Dore, très différents des monts Dôme aux formes arrondies. Les Limagnes elles-mêmes présentent, du nord au sud, des visages chromatiques caractéristiques, avec la pierre calcaire ocre jaune des buttes de Limagne, les terres noires de la Grande Limagne et les sols rouges du Lembronnais. La diversité des sols et celle des microclimats, favorisée par l'exposition et l'altitude, ont engendré un habitat très varié.

391

392

391 La lumière frisante de fin d'après-midi met en relief toute la particularité structurelle de ce village d'Égliseneuve-d'Entraigues (Puy-de-Dôme). La régularité des volumes, le rythme des toitures, la répartition harmonieuse des habitations constituent les bases de cet ensemble cohérent qu'enrichit encore la sobriété de la palette générale. En effet, la tonalité grise des ardoises taillées en forme d'écailles et celle, plus claire, des murs de pierre ou recouverts d'enduit sont ici dominantes. Le paysage urbain, presque cubiste, contraste avec la sinuosité des lignes du paysage environnant.

392 Régulièrement réparties autour du même donjon, les maisons de Montpeyroux (Puy-de-Dôme) présentent une unité remarquable avec leurs murs en pierre du pays et leurs toitures à faible pente recouvertes de tuiles rouges. Les tonalités orangées de la terre cuite convergent au sommet de cette colline verdoyante et lui font un couvre-chef pointilliste et contrasté.

393

394

La Haute-Auvergne est occupée en son centre par le massif volcanique du Cantal, sorte d'immense cône comprenant de hautes cimes. De vastes coulées de basalte ont formé des plateaux triangulaires, les planèzes, autour des sommets et prolongent les terres volcaniques du Cézallier au nord et de l'Aubrac au sud. Les versants occidentaux du massif sont verdoyants car ils reçoivent d'abondantes pluies venant de l'Atlantique. Le côté oriental en revanche, fouetté par les vents du nord, présente des flancs desséchés. Autour du massif et des plateaux, on distingue, outre le Cézallier et l'Aubrac, un ensemble de terroirs variés : le bassin de Massiac au sol argilo-calcaire, la planèze de Saint-Flour et les terres granitiques de la Margeride, le riche plateau basaltique du Calardez, le bassin d'Aurillac consacré à l'agriculture et à l'élevage, les vieilles collines de schistes truffés de granit de la Châtaigneraie... L'aspect des maisons paysannes de Haute-Auvergne varie beaucoup en fonction de la disponibilité et du choix des matériaux de construction, ainsi que des contraintes du site et du climat. La diversité des sols explique le contraste entre la vie des Auvergnats du granit, cultivant le seigle et le blé noir, se nourrissant de châtaignes, et celle des Auvergnats de lave, montagnards et pasteurs.

Palette générale

En Basse-Auvergne, dans les pays de plaines et de collines, on trouve encore des maisons aux murs de pisé, ou en pavés de terre gris cendre revêtus d'argile ou de chaux. C'est surtout dans la Limagne centrale et dans les Limagnes du Sud que l'on rencontre ces murs de briques crues qui peuvent atteindre 8 à 10 mètres, dont certains tiennent debout depuis plus de deux cents ans. Dans les bourgades des Limagnes, la construction à pans de bois datant du XVe siècle était aussi fort répandue autrefois.

393 Sur les rives de l'Aspre, le village de Fontanges, dans le Cantal, présente une palette générale particulièrement homogène avec ses murs gris enduits et ses toitures dominées par la lauze et l'ardoise. Les quelques toits de tuiles ont une couleur brune qui s'accorde avec l'harmonie chromatique des matériaux minéraux. Quant à la palette ponctuelle, on peut regretter l'usage un peu trop systématique de peinture blanche sur les volets. Dans les villages du Cantal, nous avons constaté que de nombreuses maisons étaient fermées, témoignant ainsi de la désaffection des habitants pour cette région.

394 Blotties autour de l'église datant du XVe siècle, les habitations de Saint-Martin-Valmeroux, à l'ouest de Salers, sont caractérisées par le dessin très affirmé de leurs toitures aux lignes géométriques qui contrastent avec les courbes du paysage et de la douce végétation printanière. La patine du temps, ainsi que les mousses et lichens viennent enrichir la matière des lauzes et des ardoises de tonalité gris moyen.

396

395

Le plus souvent, la palette des murs dépend de la pierre employée pour la construction et présente une grande diversité de tonalités : chaude coloration des plaquettes de calcaire blond ocré ; variété de noirs, gris clairs ou blancs des galets de basalte, de granit ou de quartz dans les régions proches de l'Allier ; couleur de cendre refroidie de la lave de Volvic, la meilleure pierre à bâtir de ces régions. Dans le fossé d'effondrement de Limagne, en particulier, les maisons sont uniformément construites avec cette andésite qui provient des coulées descendues de la chaîne des Puys. C'est une pierre massive, résistante, mais facile à travailler, dont la couleur grise prend une teinte plus sombre au jour pour devenir presque noire avec la patine du temps. On trouve encore, surtout dans les pays de hauts plateaux, les tonalités ocre soutenu des murs de granit non crépis.

397

395 Rue des Fours, à Issoire, dans le Puy-de-Dôme. Dans cette rue étroite, la coloration de chacune des façades crée une segmentation de l'espace tant horizontale que verticale. Sous l'intensité de la lumière, les ombres dessinent fortement les ouvertures. Une façade de crépi gris foncé ponctue vigoureusement ce paysage urbain dans une valeur très voisine des ombres portées.

396 Petite ville de Haute-Auvergne, située à 950 mètres d'altitude, Salers domine les confluents de l'Aspre et de la Maronne. Ses vieux logis de lave sombre sont parfois flanqués d'élégantes tourelles qui donnent à ce village son caractère pittoresque.

La pierre de lave, originellement protégée par un mortier de chaux, est souvent laissée apparente lors des travaux de restauration.
La variation des bruns et gris profonds de cette pierre accompagne la texture particulièrement vivante des lauzes en forme d'écailles de la couverture.
Les menuiseries sont fréquemment peintes en gris clair ou en brun foncé.

397 Cet austère manoir de Ferluc, entre Mauriac et Salers, surplombe la vallée. Sous sa sombre et massive couverture de lauzes, la façade sud laisse apparaître les moellons de pierre de lave qui se détachent en pointillisme sur l'enduit beurré de valeur chaude et claire. Les portes et volets ont pris la tonalité grise du bois naturel et vieilli, accompagnant ici en camaïeu harmonieux la palette des couleurs minérales de la pierre.

398

398 Lumière printanière sur cette jolie maison de campagne à Fontanges, dans le Cantal. Les mousses et les lichens qui verdissent la couverture de lauzes rappellent la végétation du jardin. Les fenêtres et les volets presque blancs font ressortir l'enduit sable légèrement rosé recouvrant la maçonnerie de moellons. Les encadrements de pierres apparentes forment une découpe irrégulière sur la façade. La porte, fraîchement repeinte en brun-rouge, se détache nettement sur la palette générale.

420

420 Blottie à flanc de coteau, Collonges-la-Rouge (Corrèze) déploie ses intenses couleurs parmi les verts profonds de la vigne, des noyers et des châtaigniers. La qualité chromatique du grès rouge du massif de Meyssac, associé à l'ardoise gris bleuté, donne un caractère exceptionnel à ce village proche de Brive. Relativement tendre, ce grès permet de ciseler des ornements qui enrichissent souvent linteaux et encadrements de portes.

421

422

423

Palette ponctuelle

Se dressant au-dessus des toitures, près du faîtage et presque toujours en pignon, les souches de cheminées limousines, réalisées en brique ou en pierre, ont un certain impact visuel, car leurs volumes peuvent être relativement importants. Les souches de la région d'Argentat sont typiques avec leur base assez large qui va se rétrécissant par paliers jusqu'au niveau du faîtage.

Autour des ouvertures, souvent en demi-cintre, les encadrements sont en moellons de pierre, plus gros et plus réguliers que ceux du mur, ou en briques dont l'appareillage soigné est souligné par des joints de valeur claire, ou encore associent en damiers les tonalités rouge et blanche de ces deux matériaux. Une pièce de bois ou un bloc monolithe fait aussi office de linteau.

Les tonalités des menuiseries se situent dans une gamme de bruns chauds ou froids, éclairée de quelques beiges ocrés ; les bleus et les verts sont plus rares.

Ni moulures ni bandeaux ne viennent rompre la sobriété de la façade limousine.

Une treille l'égaie souvent de ses tonalités impermanentes.

421 Les blocs de grès rouge sont liés d'un mortier de chaux de valeur claire qui, par contraste, accentue le caractère graphique de l'assemblage (Collonges-la-Rouge).

422 Cette porte cloutée à bois contrariés, entourée d'un élégant encadrement de pierre moulurée, rappelle le type de menuiserie que l'on trouve en Languedoc.
Le bois, qui autrefois restait apparent, est ici protégé par une peinture dont la tonalité brun soutenu contraste avec le granit de l'édifice (Saint-Léonard-de-Noblat, Haute-Vienne).

423 Les treilles qui, selon une tradition très répandue dans le Limousin, ornent les façades forment à Collonges-la-Rouge un contraste complémentaire avec le rouge de la pierre.

424

425

427

426

424 Les peintures qui protègent les menuiseries de Collonges-la-Rouge sont le plus souvent grises, brun-rouge ou brun Van Dyck.
Ces tonalités s'harmonisent avec justesse au bleu-gris des toitures et au rouge des moellons de grès.

425 Façade rurale, à Mantes, dans la Creuse. Jeu de camaïeux entre les menuiseries et le crépi ocre chaud, solidement encadré par le granit gris sombre.

426 Cette façade de Collonges-la-Rouge présente un double effet de contrastes : contraste clair-obscur et contraste de tonalités entre le grès rouge des éléments ponctuels, le vieux bois de châtaignier des menuiseries et la pierre calcaire dominante.

427 Cet appareil de grès aux demi-teintes très voisines rappelle que la qualité chromatique de tout matériau n'est pas seulement tonalité, mais aussi matière et structure (Tourriou, Corrèze).

428

429

430

431

432

433

434

435

436

Ces illustrations sont quelques exemples représentatifs de la palette de l'habitat du Limousin traditionnel.
Les trois premières maisons, qui pourraient se situer en Haute-Vienne, sont presque semblables. Chacune est composée d'une gamme de couleurs très réduite. Et la richesse de chaque palette provient essentiellement de la juxtaposition de tonalités voisines qui jouent en contraste de valeurs, de quantités et de matières.

428 Cette habitation propose une échelle de valeurs de tons chauds, allant du beige clair au ton bois. Les tonalités de la toiture, de la porte et des volets sont très voisines, mais prennent une qualité propre par le jeu des rapports de matières et de surfaces.

429 Le blanc qui encadre ponctuellement les ouvertures met en valeur le gris des volets. Le vert de la porte constitue l'accent tonique de cette palette.

430 Cette habitation est, elle aussi, dominée par les tonalités chaudes. La porte et les lucarnes accompagnent dans une gamme plus foncée cet ensemble chromatique qui formerait un camaïeu si les volets verts n'apportaient leur contrepoint de couleur froide.
431 Le gris des toitures de lauzes ou d'ardoises est le point commun visuel des trois habitations suivantes.
La palette de cette maison corrézienne propose une gamme chromatique très simple où n'interviennent que les contrastes de valeurs situés entre le blanc et le noir. Le blanc des encadrements s'oppose au gris froid des volets, au gris chaud du crépi et à la porte laquée gris sombre.
432 La richesse exceptionnelle des tonalités du grès de Collonges-la-Rouge constitue une base de départ pour la peinture des menuiseries brun-rouge ou brun Van Dyck. Le choix d'un gris pourrait apporter un contrepoint neutre à cette façade.
433 Avec sa palette de gris colorés cette maison pourrait se situer en Corrèze ou dans la Creuse. Le toit, l'enduit, les volets et le

La diversité des maisons périgourdines tient aussi, et essentiellement, aux différentes formes de toits qui donnent à chaque habitation son charme et son caractère. Les toits à faible pente couverts de tuiles canal se rencontrent dans l'ouest du pays, mais c'est le toit à forte pente et à quatre pans, dont la hauteur peut atteindre les deux tiers de la construction, qui est le plus représentatif du Périgord. Il peut être réalisé en tuiles plates, en écailles de pierres calcaires typiques de la région de Sarlat, ou encore en ardoises : ardoises fines provenant de carrières limousines ou, plus traditionnellement, ardoises schisteuses, épaisses et arrondies, très répandues aux confins de la Corrèze et de la Haute-Vienne. Ces divers matériaux de couverture, aux structures et aux tonalités différentes, coexistent harmonieusement dans des villes comme Sarlat, auxquelles ils donnent une richesse chromatique exceptionnelle.

462

463

464

465

462 Camaïeu de pierres et de peintures, à Sarlat.

463 Vieille porte moulurée, agrémentée d'un bel encadrement de pierres sculptées. Le rouge de la menuiserie compose, avec les couleurs de la maçonnerie et de l'enduit, une dominante de tonalités chaudes (Gourdon, Lot).

464 Vieille porte en châtaignier verni, à Sarlat. Noir, brun Van Dyck, brun-rouge, gris sont les couleurs fréquemment utilisées sur les menuiseries des habitations de cette région.

465 Contraste chaud-froid : porte verte, murs ocre jaune (Montignac, Dordogne).

466

467

468

Palette ponctuelle

En Périgord, comme en Quercy, la palette ponctuelle, tout en soulignant certains éléments de détail, reste discrète.
Les encadrements et les chaînes d'angle sont en pierre de taille, généralement de même matériau que les moellons utilisés pour la maçonnerie du mur. Les menuiseries sont peintes dans des coloris bruns, ton bois, moutarde ou gris bleuté, qui font chanter les tonalités chaudes et ocrées des murs.

469

470

466 A Montignac, volets à trois barres avec écharpes. Ce type de menuiserie est répandu dans le Périgord noir. La couleur rouge à base d'oxyde accentue agréablement la tonalité chaude de la pierre.

467 Sur cette fenêtre du petit village de Fanlac, en Dordogne, le gris neutre de la fenêtre contraste avec l'ocre chaud de l'encadrement. Le mur de valeur presque voisine s'exprime dans une tonalité dessaturée où intervient la matière structurée du crépi. Les volets à trois barres ressortent en brun sombre sur l'ensemble.

468 Cette élégante porte grise de la maison de repos de Monpazier (Dordogne) est un exemple de contraste simultané. L'environnement ocre jaune provoque un phénomène rétinien qui donne au gris de la porte un reflet légèrement violacé.

469 Porte de grange en anse de panier aux Eyzies-de-Tayac (Dordogne). Cette vieille porte rapiécée montre que les surfaces les moins abritées ont perdu leur pellicule de peinture protectrice, laissant à nu le bois grisé par l'usure du temps. Les panneaux horizontaux de la menuiserie en frise contrariée sont assemblés par une trame régulière de clous forgés. Ce pointillisme apporte un accent de délicatesse au caractère fruste de l'ensemble.

470 Gris, blanc et brun Van Dyck composent la palette de cette façade de Montagnac-sur-Lède (Lot-et-Garonne). Le blanc des encadrements, les gris moyens et la porte sombre constituent une échelle de clartés. Rendons ici hommage à ce précurseur du post-modernisme.

471

471 Le moellon calcaire ocre jaune contraste agréablement avec le gris bleuté des menuiseries, sur cette façade qu'anime la treille et que couvre partiellement le vert très particulier du sulfate de cuivre dont on pulvérise la vigne. Jacques Fillacier a observé que ce bleu-vert pouvait avoir une influence déterminante sur le choix des couleurs des menuiseries, dans les régions de vignobles telles que la Champagne.

472

473

474

475

476

477

472 C'est une habitation du Périgord, située près de Sarlat, qui a servi de modèle pour les quatre premières illustrations. De formes et de proportions identiques, chaque maison exprime cependant sa propre identité par la couleur des matériaux et le jeu des contrastes de tonalités. Sous un toit de tuiles brun foncé, la maison se caractérise par la pierre dorée sur laquelle les menuiseries se détachent en contraste clair-obscur.

473 Sous la couverture de tuiles plates rosées, les menuiseries passées au brou de noix se détachent par leur valeur sombre sur l'enduit gris chaud de la façade qu'éclairent les encadrements presque blancs.

474 De valeurs presque voisines, les tonalités de cette habitation se déclinent dans une dominante de terre cuite et d'enduit gris-rose. Le ton gris moyen des menuiseries crée un contraste simultané qui donne à cet ensemble une note de raffinement.

475 Cette maison est un exemple de camaïeu de gris colorés qui se déclinent dans une échelle de valeurs progressive : blanc des fenêtres, gris clair et chaud des fermetures, gris neutre et moyen de l'enduit et valeur plus foncée des tuiles patinées telles qu'on peut les voir dans le Périgord.

476 Deux tonalités principales apparaissent sur cette maison de Dordogne : d'une part, le gris des lauzes schisteuses en écailles de poisson qui se retrouve en valeur plus claire sur les menuiseries, d'autre part, l'enduit beige rosé de la façade éclairée par le blanc des encadrements.

477 Cette maison pourrait se situer près de Cahors. Le brun-rouge de la toiture en tuiles canal se retrouve dans une valeur très proche sur les menuiseries. L'enduit gris moyen est mis en valeur par les chaînes et encadrements passés au lait de chaux.

478

Ces illustrations montrent les tendances dominantes de la palette du Quercy et du Périgord. Elles résument les informations chromatiques recueillies dans cette région au cours des analyses de site et peuvent constituer un point de départ pour l'élaboration de nouvelles harmonies, en rapport avec les données de l'habitat traditionnel que les planches de synthèse présentent de façon schématique.

479

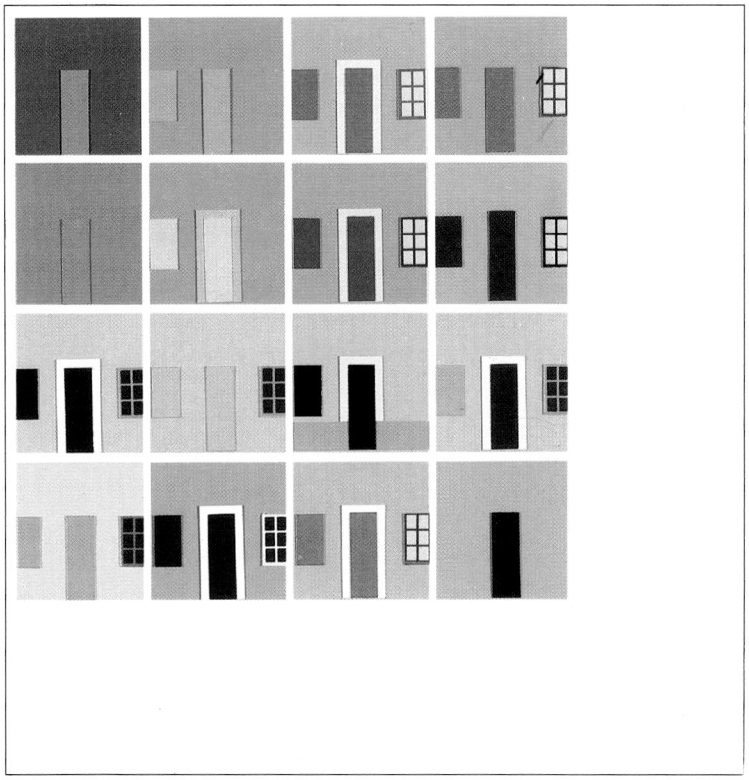

478/479 Cette synthèse des tonalités dominantes de l'architecture traditionnelle en Quercy et en Périgord met en évidence la prédominance des modulations ocrées de la pierre calcaire et des enduits, qui caractérise la palette générale de ces régions. Ces tonalités ocrées se déclinent dans une gamme étendue, du blanc presque pur à l'ocre jaune très soutenu, qu'accentue à certaines heures de la journée la coloration de la lumière.

Parfois, la pierre devient grise sous l'effet du vieillissement et de la patine. Les enduits de façades sont colorés en beige ou en gris par les sables de rivière.

Dans la palette ponctuelle, les encadrements de couleur claire apportent une note de raffinement aux façades enduites. On constate que le gris est la couleur de prédilection des portes et des volets. Ce gris moyen prend une qualité toute particulière par contraste simultané avec les tons dorés des façades. Plus que dans toute autre région de France, le noir est une couleur ponctuelle assez fréquemment utilisée pour la peinture des portes.

Le Midi toulousain

480

480 Les quais de la Garonne et le pont Saint-Michel, photographiés le 17 novembre 1968 à 17 h 30, donnent une idée de la palette générale des matériaux dominants que l'on trouve à Toulouse. Le rose orangé de la brique toulousaine, auquel s'ajoute le brun ocré des toitures de tuiles, communique à cette ville un caractère chromatique particulier dont l'éclat est accentué par la lumière du soir. Dans ce paysage, les tonalités minérales de la terre cuite sont complétées par les couleurs impermanentes du ciel et de ses reflets sur le fleuve, et du vert végétal des arbres, qui amènent un contraste complémentaire.

481

Entre les Pyrénées et le Massif central, le Midi toulousain est un pays continental aux paysages doux et variés sous un climat aquitain relativement capricieux. Le sous-sol est constitué de molasse, roche argilo-sableuse peu résistante, parfois agglomérée en grès, qu'un réseau hydrographique très dense partage en une multitude de petites collines aux pentes douces. D'amples vallées ont parfois donné naissance à de véritables plaines le long desquelles courent de vastes terrasses tapissées d'alluvions ; c'est le cas des fertiles régions de Toulouse et de Montauban.

481 Entre Albi et Cordes (Tarn), ce paysage témoigne de l'étroite relation de l'architecture à son environnement. Deux tonalités dominantes baignent la douce modulation des collines : la chaude teinte minérale du sol et le vert tendre de la végétation.

482

482 Cet ensemble de façades de la rue Laganne, à Toulouse, propose une synthèse de l'architecture et de la gamme chromatique de cette ville. Sous les toits plats de tuiles canal, la brique se répartit différemment sur les façades, selon qu'elles sont enduites ou laissées apparentes. Les couleurs des menuiseries sont le plus souvent grises, ton bois ou brun Van Dyck.

483

484

Palette générale
La brique donne ses chaudes tonalités aux maisons de la partie du Haut-Languedoc comprise entre Montauban, Toulouse, Castelnaudary et Albi. Cette brique est longue et plate : ses dimensions sont de 29 × 42 centimètres et son épaisseur de 5 centimètres. Non seulement ses proportions sont belles, mais sa matière est savoureuse car elle est un peu gauche et irrégulière. Sur le plan chromatique, l'appareil des murs toulousains est paré de claires et chaudes tonalités : roses et ocre des rangées de briques qu'égaient des joints épais au mortier de chaux blanche ou crème.
Les maisons peuvent être entièrement construites en brique, comme dans la région de Montauban ou en Albigeois. Outre sa cathédrale et le palais de la Berbie, une

483 Vu en perspective, cet alignement de façades à Toulouse met l'accent sur le caractère rythmique et graphique de l'architecture qu'accuse encore la juxtaposition de couleurs aussi variées en valeurs qu'en tonalités.

484 Cette façade ancienne, bien proportionnée et élégante malgré sa vétusté, laisse deviner sur les encadrements la douce couleur orangée de la terre cuite, propre à la brique toulousaine.
Le gris des menuiseries, particulièrement remarquable dans la palette de cette architecture, est obtenu par le mélange de blanc et de terre d'ombre, suivant la tradition locale. Ce gris est une tonalité chaude qui établit un contraste très subtil avec la couleur de la terre cuite.

485

486

imposante forteresse de brique qui symbolise la fin des Cathares, Albi abrite dans ses vieux quartiers de très belles maisons anciennes agrémentées d'élégantes tourelles. La brique se taillant aisément, la maçonnerie se pare de bandeaux, de corniches et de moulures.
Les murs de brique de la maison toulousaine sont souvent passés au lait de chaux blanc ou teinté de rose ou d'ocre. Les murs sont parfois bâtis avec les cailloux roulés de la Garonne, les briques servant alors à la constitution des chaînes, des bandeaux et des encadrements de portes et de fenêtres. Ces murs de maçonnerie composite sont intéressants sur le plan visuel et sur le plan chromatique, par la combinaison harmonieuse d'éléments différents dans leurs volumes, leurs matières et leurs couleurs.

485 Cette façade de Gémil (Haute-Garonne), entre Toulouse et Albi, résume les données chromatiques les plus fréquentes dans cette région : enduit de mortier de couleur claire que souligne la brique apparente des chaînes, des bandeaux et des encadrements. La brique toulousaine d'autrefois, « faite à la main », a 29 cm sur 42 cm, pour 5 cm d'épaisseur ; ses arêtes sont imprécises, ce qui donne à la maçonnerie une douceur particulière. Dans cette harmonie, l'accent de valeur sombre est apporté par le brun Van Dyck des menuiseries et le vert profond de la glycine, moucheté de taches monochromes.

486 Ces deux façades jumelles sur le cours Foucault, à Montauban, présentent une palette de demi-teintes habituelle dans l'architecture urbaine de la région toulousaine.
La modénature ouvragée des encadrements de baies en plein cintre du premier étage rythme avec élégance cette façade classique. Le badigeon délavé laisse transparaître l'appareil de brique et ses tonalités rosées, qu'accompagnent sobrement les gris et bruns des menuiseries.

Le Pays basque

Le Pays basque étend ses collines verdoyantes sur la partie occidentale des Pyrénées atlantiques et la basse vallée de l'Adour. C'est un pays de roches tendres (argile, grès tendre et sable) dans lequel les cours d'eau ont modelé de pittoresques coteaux où se succèdent bois, vignes et labours, au gré des terroirs.

Ayant longtemps gardé une certaine autonomie, cette région est restée fidèle à ses coutumes. Ses habitants parlent l'euskara, langue d'origine préindo-européenne, aiment la pelote et les danses populaires, pratiquent l'élevage des bovins, des porcs et de la volaille, ainsi qu'une polyculture traditionnelle où la lande garde une place importante. La maison basque a une physionomie très caractéristique avec son toit à deux pentes coiffant une façade blanchie à la chaux. On distingue cependant trois types de maisons dont les caractères originaux sont déterminés par les conditions géographiques : les maisons du Labourd, de Basse-Navarre et de la Soule.

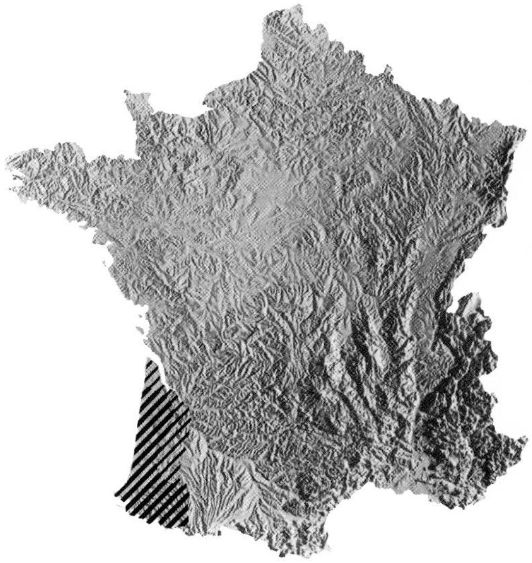

502

502 La composition rythmique de leurs éléments fait l'intérêt de ces maisons des quais de l'Adour à Bayonne. Sur les bandes verticales des façades, se superpose la trame pointilliste des ouvertures qui contraste en valeur et en tonalité avec la palette générale.
La répétition d'éléments aux formes et proportions identiques crée un jeu de fond qui donne l'unité visuelle à cet ensemble.
On remarque l'importance que prend l'horizontale du quai par rapport au découpage des toitures sur le plan uniforme du ciel.
Cette relation entre le plein et le vide évoque l'importance que joue la découpe de l'espace dans les natures mortes et les paysages du peintre Giorgio Morandi.

503

La maison du Labourd
Le Labourd est une ancienne province qui s'étend du littoral, entre Bayonne et Hendaye, à l'intérieur des terres, jusqu'au bourg de Ainhoa près de la frontière espagnole, au sud, et à la vallée de la Bidouze, à l'est.
La maison labourdine est généralement considérée comme le type même de la maison basque, car c'est la plus avenante dans ses proportions et ses matériaux. Haute, étroite et profonde, cette maison, dont la façade principale s'ouvre sur le mur pignon, est toujours orientée vers l'est pour éviter les tempêtes venant de l'océan Atlantique. Les murs très épais des façades latérales et postérieure sont construits en moellons bruts du pays, dont les jolies tonalités se déclinent du gris bleuté au rose vif, mais sont recouverts, du fait de leur gélivité, d'un épais enduit au mortier lissé et blanchi à la chaux.
La façade principale, agrémentée de pans de bois peints, est la plus intéressante.
Reposant sur un rez-de-chaussée en maçonnerie enduite et blanchie, les deux étages de la façade présentent une structure à pans de bois apparents avec un remplissage de briques, couvert lui aussi d'enduit blanchi.
Ce n'est pas dans un agencement très savant de pièces de bois en écharpes ou en croisillons, comme en Alsace et en Normandie, que réside l'intérêt des pans de bois en Labourd – ils sont simplement horizontaux et verticaux –, mais bien davantage dans le contraste très affirmé entre le blanc lumineux du crépi et la tonalité sombre des pans de bois, peints souvent en rouge-brun ou en vert plus ou moins foncé.
De ces deux couleurs on ne peut dire avec certitude laquelle fut à l'origine de cette tradition, sans doute est-ce la couleur rouge « sang caillé » qui domina dès le début.
Depuis les premières années du siècle, on peint aussi les pans de bois en bleu soutenu.
Protégeant cette architecture à pans de bois, par une large avancée, le toit couvert de tuiles canal de la maison labourdine a un impact visuel important. Il présente généralement deux pentes égales, en accent circonflexe. Toutefois, dans bien des cas, l'une des deux pentes est nettement plus allongée que l'autre, ce qui donne à la toiture une allure très caractéristique. Cette dissymétrie n'est pas le fruit d'une coquetterie architecturale, mais le fait d'adjonctions postérieures (grange, remise...).

Palette ponctuelle
Les ouvertures, presque toutes situées sur la façade principale, sont limitées dans leurs dimensions par l'espacement des colombages.
Elles témoignent d'un souci d'équilibre et de symétrie dans la modénature de l'architecture.
Tandis que portes et volets sont de la même tonalité que les pans de bois, les fenêtres sont souvent de valeur plus claire
Les souches de cheminées sont assez massives. En maçonnerie de pierre, elles sont traitées comme les murs, c'est-à-dire qu'elles reçoivent une couche d'enduit et de badigeon à la chaux. Elles se terminent à leur extrémité supérieure par des tuiles canal disposées verticalement en châteaux de cartes.
Protégé par l'avancée du toit, le dernier étage de la façade principale est parfois agrémenté d'un balcon de bois peint des mêmes couleurs que les pans de bois.
Mais cet élément ponctuel apparaît plus systématiquement sur les maisons de Basse-Navarre.
La maison labourdine est ornée de motifs décoratifs soit sculptés sur les sablières ou sur les pièces de bois qui soutiennent la saillie de la toiture, soit peints sur le crépi du mur ou encore gravés dans la pierre des ouvertures du rez-de-chaussée. Il s'agit de symboles magiques, tels que rosaces ou marguerites à cinq ou six branches, destinés à la protection d'une maison qui ne représente pas seulement l'abri d'une famille, mais son âme.

La maison de Basse-Navarre
La Basse-Navarre est la plus étendue des trois régions. Elle va du petit pays de Mixe (Saint-Palais) aux ports de Cize, au sud de Saint-Jean-Pied-de-Port. Comme les maisons labourdines, celles de Basse-Navarre sont dispersées çà et là dans la nature, mais leur

503 Maisons de ville sur le port de Ciboure. Selon une habitude dont l'origine est incertaine, les colombages des maisons basques sont revêtus d'une peinture rouge sang ou vert foncé. Notons que le rouge et le vert sont les couleurs du drapeau basque.

504

504 Dans les rues étroites de Bayonne, l'enfilade des façades vue en raccourci fournit une bonne synthèse des couleurs ponctuelles les plus utilisées : bruns, rouges, verts, gris et blancs dessaturés.

505

aspect diffère sensiblement par les volumes et les matériaux. Ne comportant qu'un étage, leur silhouette semble tassée. Et le pan de bois, sans disparaître complètement, se fait plus rare, la Basse-Navarre étant moins riche en forêts de chênes que le Labourd.
La façade principale est le plus souvent, comme les trois autres, constituée de gros murs de maçonnerie enduite et blanchie à la chaux. Les matériaux locaux employés pour la construction de ces murs sont soit les galets de la Nive, soit, le plus souvent, un grès robuste qui fournit des moellons de couleur pourpre ou rose violacé. Ces chaudes tonalités apparaissent sur la tranche des murs gouttereaux qui font saillie par rapport à la façade principale, car ils soutiennent l'avancée de la toiture débordante et viennent largement encadrer le grand portail d'entrée rectangulaire ou voûté, ainsi que les fenêtres assez petites et symétriquement réparties par rapport à l'ouverture principale.
C'est le contraste entre les couleurs chaudes de la pierre et le blanc éclatant du mur crépi qui donne à la maison bas-navarraise sa singularité chromatique.

La maison de la Soule

La Soule, essentiellement constituée par la vallée du Saison, est un pays de montagnes où l'on doit se défendre du froid et des intempéries ; aussi la maison y est-elle trapue et ramassée. Par ailleurs, cette province s'ouvrant au nord-est sur le Béarn, l'architecture de la maison souletine a subi l'influence de l'habitation béarnaise.
Elle présente donc un certain nombre de caractères très différents de ceux des autres maisons basques.
Le toit, couvert d'ardoises épaisses ou de tuiles de bois, a une pente assez accentuée afin de permettre l'écoulement de la neige. Il coiffe une construction ayant pratiquement la forme d'un carré, aux murs très épais, en gros moellons de même couleur que les rochers voisins. La tonalité des façades est grisâtre, à moins que celles-ci ne soient blanchies à la mode basque. Sur les façades principale et latérales sont pratiquées des petites ouvertures, cernées de massifs encadrements de pierres. Dans cette région rocheuse, le bois n'est utilisé que pour les menuiseries.

505 Sur cette maison labourdine, dans le village d'Arbonne, entre Bayonne et Saint-Jean-de-Luz, la dissymétrie de la façade provient d'une adjonction au bâtiment principal. Les murs sont blanchis suivant la tradition. Les éléments de bois sont protégés par une peinture brun-rouge ; ils forment un graphisme léger et régulier qui participe à la qualité visuelle de l'habitation.

532

533

caractéristique présente sous les effets de la lumière un remarquable intérêt visuel et tactile.

Il existe également des villages dont toutes les maisons sont construites en pisé, tels Cabannes et Rognonas dans la vallée de la Durance. Ces murs sont protégés par un enduit des dégradations causées par les intempéries.
La plupart des maisons provençales étant enduites afin d'assurer l'étanchéité des murs, c'est la couleur du crépi qui donne aux façades leur caractère chromatique général.
Les enduits sont toujours à base de chaux grasse et de sable trouvé à proximité immédiate du site, ce qui favorise l'identification chromatique de la façade crépie au sol environnant.
Les tonalités du sable varient beaucoup d'une région à l'autre et selon qu'il s'agit de sable de rivière ou de sable de terre. Tandis que le sable de la Durance présente des teintes douces dans les beiges et les gris colorés, le sable de terre ou sable de fouille, que l'on utilise après l'avoir débarrassé de la terre végétale, montre des tonalités soutenues, variant du rose au brun en passant par toutes les nuances d'ocres et de rouges. Nous citerons en particulier les terres orangées de la région de Rians (Var), celles des environs du Tholonet (Bouches-du-Rhône) qui sont rouges et mauves, celles de Roussillon (Vaucluse) qui offrent toute une gamme d'ocres jaunes et rouges, celles de la région aixoise, etc.
Les tonalités roses de certains crépis sont parfois dues à la présence de tuiles concassées que l'on mélangeait au mortier afin de renforcer son adhérence.

532 Cette partie de mur enduit du village de Roussillon exprime la saveur d'une maçonnerie imprégnée de la marque du temps. Les reprises et les raccords laissent apparaître toute la variété des gris ocrés, ocres roses, ocres rouges et ocres jaunes. La porte ajoute harmonieusement son brun Van Dyck à cette forte coloration.

533 Ce camaïeu d'ocres et de bruns, sur cette façade de Roussillon, est rehaussé par le cadre blanc de l'ouverture. En Provence, les portes et les fenêtres sont souvent marquées par un encadrement de pierre revêtu de peinture blanche qui souligne la palette ponctuelle.

534

535

536

Lorsque cet enduit à base de chaux et de sable est appliqué suivant les techniques traditionnellement en usage depuis les Romains, les façades crépies montrent, outre leurs qualités chromatiques, une structure vivante. La troisième et dernière couche d'enduit est en effet vigoureusement appliquée à la truelle et porte l'empreinte des gestes du maçon. Elle peut aussi être projetée sur le mur à l'aide d'un balai composé de petites branches de thym et prend alors un aspect granuleux. Les artisans devraient recourir davantage à ces belles matières vivantes et colorées, plutôt qu'aux enduits à base de ciment dont la couleur et l'aspect visuel sont souvent plus ternes.

534 L'ocre jaune ou rouge et la terre de Sienne, qui différencient chaque façade du vieux Nice, en accentuent la verticalité. Les verts utilisés couramment pour la peinture des volets créent un contraste complémentaire qui anime et ponctue vigoureusement les ouvertures.

535 Façade dans la petite ville des Arcs (Var). La coloration chaude des tuiles romaines et de l'enduit ocre trouve un agréable complément dans le gris neutre des volets de valeur identique. La mouluration blanche des encadrements dessine par contraste les proportions de cette façade.

536 L'animation de cette façade ancienne, à Nice, provient davantage de la structure des ouvertures et des volets que de la couleur générale qui se résume à deux tonalités discrètes : ocre et gris.

553

554

Palette générale

Les matériaux dominants sont la pierre et le bois. La pierre provient des roches du sous-sol. D'ouest en est se succèdent les petits massifs calcaires des Préalpes, les schistes du sillon alpin, les roches cristallines (granit et gneiss) des massifs centraux, et les couches de grès, de calcaires et de roches métamorphiques (schistes lustrés et gneiss) des massifs internes.
Le bois est fourni par les grandes forêts de feuillus (hêtres et chênes) et de résineux, dont l'exploitation constitue, avec l'élevage des bovins, une des principales ressources de ces zones montagneuses. Les Préalpes ont les forêts les plus belles et les plus productives, aussi les maisons y sont-elles entièrement bâties en bois.

On distingue deux principaux types de maisons de montagne : le chalet en bois ou à dominante de bois au nord, et la maison chalet à dominante de pierre dans le sud. Construites suivant des techniques et dans des matériaux différents, ces maisons ont cependant un aspect semblable car la toiture qui les coiffe, qu'elle soit de bois ou de pierre, épouse la même pente, si faiblement inclinée que la neige y tient sans glisser ; par ailleurs, le pignon est orienté vers le sud et c'est là

553 A Sallanches (au nord de Megève), ce chalet présente un comble à deux versants symétriques avec fausse croupe sur la façade sud. Au rez-de-chaussée, la partie habitée, couverte d'un enduit crème, contraste en clair-obscur avec le brun des planches verticales de la grange, tonalité que l'on retrouve sur le décor des volets.

554 Ce grand chalet situé entre Queige et Albertville présente deux tonalités dominantes, en contraste clair-obscur. Sous la toiture, la grange et les combles sont constitués d'un simple bardage de planches verticales de mélèze brun-rouge, tandis que la partie réservée à l'habitation est en maçonnerie revêtue d'un enduit blanc qui laisse apparents les encadrements de pierre et les chaînes d'angle.
La répartition très affirmée et dissymétrique des deux tonalités dominantes pourrait paraître arbitraire, si elle n'était la conséquence de la coexistence de deux fonctions bien distinctes sous le même toit. La forme et la couleur sont ici expression de la fonction.

555

556

que sont pratiquées les ouvertures.
Le modèle le plus courant de chalet en bois se situe dans le Faucigny. Le toit à faible pente est couvert d'ancelles, tuiles de bois d'assez grandes dimensions (10 à 15 centimètres de large sur 60 à 70 centimètres de long) ; ces bardeaux sont taillés dans du bois d'épicéa, parfois de mélèze (dans ce cas, ils durent deux fois plus longtemps), toujours dans le sens du fil et suivant les rayons du tronc. Les tavaillons sont aussi des tuiles de bois, mais de dimensions plus petites ; ils sont essentiellement utilisés en essentes de protection sur les murs exposés à la pluie et aux vents dominants.
La structure du chalet, qui est isolé du sol par un soubassement de pierres jointoyé au mortier de chaux et de sable, consiste en un mantelage de planches verticales fixées sur les sablières du haut et du bas. Dans les Bornes et le Beaufortin, le procédé de construction est plus archaïque : les murs sont formés de troncs d'arbres équarris, superposés horizontalement et assemblés par emboîtement. Les arbres utilisés sont surtout les résineux : sapin rouge et mélèze. Le mélèze est un bois très résistant qui, laissé naturel, prend une très belle patine brun-rouge ; cette couleur chaude contraste avec la claire tonalité du soubassement. Dans les constructions plus récentes, le bois est protégé par un vernis d'imprégnation transparent ou de couleur sombre. Toutes les nuances de tons bois se rencontrent donc, de la plus claire à la plus foncée.
La vallée d'Abondance abrite un type de chalet plus massif dont l'étage réservé à l'habitation est le plus souvent recouvert de plâtre.

555 Ces habitations de Megève, photographiées sous la neige en mars 1974, font apparaître les trois tonalités dominantes propres à la palette générale de la Savoie : rouge-brun de la partie supérieure de l'habitation et tonalités ocre ou blanche des enduits. La palette ponctuelle s'exprime dans des couleurs vives et contrastées : on remarque le décor bicolore des volets ouverts.

556 Cette étable de montagne présente un échantillonnage de bois bruns et dorés dont les couleurs et les matières forment un étonnant camaïeu.

557

557 La ville d'Annecy a entrepris la restauration de ses quartiers anciens et fait réapparaître les tonalités vives et contrastées des enduits d'autrefois qui avaient disparu au fil des siècles. L'altération pigmentaire des matériaux ou des enduits est un phénomène naturel qui peut induire en erreur sur leur qualité chromatique initiale. L'utilisation de la couleur, telle qu'on la pratiquait naguère, nous semblerait à présent parfois excessive.

558

559

560

561

558 Maçonnerie de molasse. Ce grès calcaire tendre, de tonalité gris verdâtre, fournit en Savoie de belles pierres de taille.

559 Contraste chaud et froid et clair-obscur entre l'encadrement de moellons de tuf ocré et le mur sombre de pierres schisteuses.

560 Toiture d'ardoises taillées en forme d'écailles, à Chamonix.

561 Cette grange, placée à une certaine distance de la maison, a des murs de bois « pièce sur pièce », assemblés en croix aux angles. Le sapin, laissé naturel, a pris une belle patine en nuances de gris argentés et bruns dorés.

562

La maison du sud de la Savoie présente un visage chromatique très différent avec ses murs en maçonnerie de pierre non appareillée montant jusqu'à la charpente.
Dans la vallée de la Tarentaise, les toits très débordants à faible pente sont couverts de lauzes de schistes ou de gneiss, tandis que sur les toits à forte pente (40 à 45 degrés) l'ardoise a remplacé le chaume d'autrefois.
Les plaines et les basses montagnes sont le domaine de la maison entièrement construite en pierre. Groupées en villages, les habitations sont serrées les unes contre les autres et présentent sur la rue une façade en hauteur, étroite mais profonde. L'étage du logement est desservi par un grand escalier extérieur. L'ensemble des ouvertures de ces maisons sont sur un mur gouttereau, et non sur le mur pignon comme dans le chalet montagnard. La toiture est le plus souvent en tuiles plates disposées en écailles, parfois en ardoises.
Dans les bourgs et les stations de sports d'hiver, les maisons participent de ces deux types d'habitat : chalet de montagne, maison de plaine. Le soubassement de pierre prend quelquefois l'importance d'un véritable mur, puisqu'il ne couvre plus seulement le rez-de-chaussée, mais s'élève jusqu'au premier étage, sinon davantage, tandis que le grenier reste seul formé d'une cloison de bois. L'enduit qui recouvre et protège ce mur a un impact visuel relativement fort ; blanc, ocre ou rose, il met agréablement en valeur les chaudes tonalités du bois.

Palette ponctuelle
Dans le chalet de montagne, la palette ponctuelle se décline dans des teintes très naturelles, empruntées aux matériaux eux-mêmes : soubassements de pierres non appareillées liées au mortier de chaux, souches de cheminées trapues en bois ou en pierre, protégées de la pluie et de la neige par deux dalles de pierre appuyées l'une contre l'autre, ou par un volet à pans mobiles...
Les balcons de bois sont un élément ponctuel très intéressant de l'habitat savoyard. Ils parcourent parfois toute la longueur de la façade principale, pouvant même s'étendre sur les murs latéraux. Ces « loges » sont souvent l'objet de découpages décoratifs sur les balustrades d'appui et donnent charme et pittoresque à la façade. A l'abri des intempéries, sous l'avancée du toit, on y

562 Dans la maison de montagne, les réserves de bois entassées contre la façade procurent une précieuse isolation thermique et apportent la chaude coloration du bois fraîchement coupé (Les Contamines-Montjoie).

563

564

565

dépose le bois, on y met le linge et les récoltes à sécher, autant d'éléments impermanents qui participent à l'animation de la façade.
Les menuiseries montrent une différence de traitement assez affirmée selon qu'il s'agit de chalets isolés ou de maisons de bourg. Les portes et les fenêtres des chalets de montagne sont vernies ou laissées naturelles ; quand elles sont peintes, elles s'expriment le plus souvent dans des tons de même valeur que le bois (demi-teintes de bleus, de gris ou de verts), ou encore dans des gammes d'ocre et de rouge-brun qui accompagnent les chaudes tonalités du bois neuf dans les constructions nouvelles.
En revanche, dans les bourgs et les stations de ski, on constate un souci manifeste de décoration de la façade, par la coloration beaucoup plus affirmée des menuiseries ponctuelles. Deux accords de tonalités prédominent : rouge et vert, brun et ocre. Sur le fond de neige immaculée, ces couleurs prennent un éclat particulièrement intense.

563 Petite ruelle grimpante de Cluses où la tache des volets verts et bleus donne une note colorée à cet ensemble austère.

564 Les volets de montagne sont souvent agrémentés d'un jour d'aération, découpé en forme de motif décoratif : sapin, cœur, pique, étoile...

565 La partie maçonnée de ce chalet, situé entre Sallanches et Cluses, est recouverte d'un mortier de chaux de valeur claire. Les volets verts rappellent la couleur végétale, tandis que les autres éléments de menuiserie laissés naturels se déclinent dans une tonalité brune, proche de celle de la terre.

566

567

568

566 Habitation rurale entre Cluses et Sallanches, où les tonalités des menuiseries rappellent, d'une part, le vert de l'environnement végétal et, d'autre part, le brun du bois vieilli naturellement.

567 La couleur est conditionnée par son environnement immédiat, et semble plus ou moins lumineuse en fonction de celui-ci. Le rouge de ces volets semble plus sombre sur le fond blanc et plus lumineux sur la paroi de bois brun. Cet exemple met en relief le phénomène optique qui fait paraître différente une même couleur lorsqu'elle est placée sur des fonds différents. C'est une illustration des conclusions auxquelles est parvenu Josef Albers dans son *Interaction des couleurs.*

568 Porte en menuiserie à cadre et planches clouées, peinte en vert jardin.

569

570

571

569 Les menuiseries de ce chalet sont colorées dans la même tonalité chaude que le bardage en sapin verni. Les encadrements sont soulignés d'un trait de couleur rouge orangé, tandis que le recto et le verso des volets présentent la même composition chromatique, mais inversée.

570 La tonalité sombre de la paroi de bois traitée au vernis d'imprégnation est très fortement éclairée par la maçonnerie enduite du rez-de-chaussée.
Recto et verso, les volets présentent le même décor peint, rouge sur fond vert, ou vert sur fond rouge. Les portes, les fenêtres et les balcons sont en bois traité.

571 Cette illustration représente un chalet traditionnel dont le bois a gardé sa patine naturelle. Les menuiseries ont la même valeur que le bois, dans des demi-teintes bleues et grises. La maçonnerie de l'étage d'habitation est peinte dans un rose dessaturé qui accompagne doucement le paysage de neige.

572

573

Ces trois habitations schématisent les types de coloration des chalets montagnards.
L'utilisation importante du bois est l'élément dominant de cette architecture.
Ces illustrations proposent quelques orientations chromatiques définies à partir des relevés effectués en Savoie au cours des analyses de site. Elles peuvent être considérées comme un point de départ pour la conception d'harmonies nouvelles, en rapport avec les données de l'habitat traditionnel auxquelles on peut se référer dans les planches de synthèse.

572/573 La synthèse chromatique de la Savoie révèle trois orientations dominantes :
- les bruns et les ocres, provenant de l'utilisation du bois pour les chalets ;
- les gris des façades de pierre dans l'habitat urbain ;
- les valeurs claires et chaudes des façades enduites : blanc, ocre, rosé...

Le bois de pin, de sapin ou de mélèze, à la matière vivante, a, quand il est neuf, de chaudes tonalités qui vont de l'ocre à l'orangé.

La palette ponctuelle des menuiseries, quand elles ne sont pas en bois verni, s'oriente souvent vers des jeux de contrastes en deux valeurs ou en deux tonalités. Les bruns et les rouges sont privilégiés, mais on trouve fréquemment un vert éclatant.
Il ne faut pas oublier que, dans cette région de montagne, la neige crée un environnement neutre et que, par contraste, les couleurs prennent un éclat particulièrement intense. En taches ponctuelles, les tonalités saturées animent gaiement le paysage.

Quand le chalet de bois est ancien, ses teintes variées et patinées se déclinent dans un registre de couleurs dessaturées aux nuances délicates qui appellent des tonalités ponctuelles raffinées. Les contrastes en demi-teintes sont les plus indiqués. Cependant, les accents toniques de couleurs vives peuvent animer gaiement certains détails.

Sur la planche de synthèse 573, les façades situées à droite comportent un bandeau horizontal. Celui-ci ne symbolise pas la couleur des toitures, mais la paroi en planches de sapin appelée « manteJau » (voir fig. 552, 553, 554...).

Étude de couleurs pour les quartiers anciens de Nîmes et de Saint-Germain-en-Laye

A partir des années soixante-dix, plusieurs villes de France ont pris conscience de la nécessité d'entretenir et de mettre en valeur leur patrimoine architectural. Leur objectif: améliorer la qualité du cadre de vie des habitants, tout en valorisant l'image de la ville, et provoquer un essor culturel et touristique dont les répercussions économiques sont loin d'être négligeables. Les exemples de Nîmes et de Saint-Germain-en-Laye figurent dans cet ouvrage, mais nombreuses sont aujourd'hui les réalisations de ce type aussi bien en France qu'à l'étranger.

574

Nîmes

La notion de paysage est traditionnellement réservée à l'interprétation qu'en ont donnée les peintres classiques: celle d'un lieu naturel et végétal où se mêlent parfois quelques édifices, monuments ou habitations. Historiens et urbanistes nous ont progressivement habitués à assimiler l'ensemble architectural que compose la ville à un paysage réel. Il ne s'agit plus, ici, d'un environnement à l'état sauvage ou naturel, mais d'un lieu minéral ordonnancé et construit.
La parfaite cohérence du paysage urbain que nous révèlent les vieux quartiers de Nîmes font de cette ville l'un des modèles de qualité architecturale les plus remarquables en France.

Les proportions et l'échelle régulière des bâtiments, le rythme des ouvertures, l'oblique des toitures, la modénature des façades sont autant d'éléments qui contribuent à la beauté des vieux quartiers de l'Écusson vus dans leur globalité.
Cette richesse architecturale s'est élaborée peu à peu, au fil des siècles, depuis une époque très reculée. Dès la préhistoire, des hommes ont occupé ce site qui présentait de nombreux avantages: l'alimentation en eau grâce à la fontaine de Nîmes, une situation stratégique au carrefour de plusieurs voies de communication importantes, au contact des plateaux calcaires des Garrigues et d'une plaine assez fertile.

575

574 A Nîmes, les toitures forment un ensemble remarquable : la tuile romaine ou tuile canal (matériau traditionnel de couverture) est uniformément employée dans le centre ancien et offre une grande variété de coloration. La palette est très vivante. Les tonalités ocrées se dessinent dans des variations de roses, de gris chauds. La chaleur et la variété de ces tons contrastent avec les camaïeux de gris de la palette des façades. Ces vibrations chromatiques sur les tuiles canal sont accentuées par les rythmes d'ombre et de lumière.
La coloration générale de la nappe des couvertures du secteur sauvegardé demeure harmonieuse, à l'exception de quelques accrocs tels le bleu des ardoises et le rouge des tuiles mécaniques utilisées sur de hauts immeubles construits à la fin du XIXe siècle et au début du XXe siècle.

575 La cathédrale Notre-Dame et Saint-Castor, construite en pierre calcaire provenant des carrières de Beaucaire, et les immeubles qui l'entourent traduisent la coloration claire et peu contrastée de la palette des façades de cette ville, qu'elles soient en pierres apparentes ou en maçonnerie. Le gris moyen et les gris colorés des menuiseries accentuent la douceur des contrastes. La lumière intense de la Provence met en valeur la texture des matériaux et la modénature des façades.

576

577

578

579

La ville de Nîmes fut profondément marquée par la civilisation romaine et conserve de cette époque de magnifiques monuments. Au Moyen Age, l'agglomération se resserra à l'intérieur de ses remparts, mais elle connut un brillant essor sous le règne de Louis XV : tandis que la ville médiévale demeurait le centre le plus vivant de la vie urbaine, des reconstructions modifièrent l'aspect architectural de la cité, sans transformer radicalement le réseau des rues étroites et tortueuses.

Ce patrimoine immobilier qui s'est constitué à une époque où dominait le savoir-faire séculaire des bâtisseurs est, en grande partie, caractérisé par l'harmonie générale des couleurs. Ce qui frappe tout d'abord, dans la vision d'ensemble de Nîmes, c'est l'unité et la sobriété de ses nuances. La palette constituée de trois ou quatre tonalités principales est loin d'être pauvre. Elle possède une véritable richesse chromatique sous la lumière du Midi.

D'où vient cette beauté des couleurs de la ville ? La réponse est donnée par le vieux dicton populaire, "c'est la couleur locale".

Précisément, cette palette sobre et rare provient de sa réalité propre et de la nature des matériaux employés autrefois pour la construction : la pierre, les enduits à base de mortier et, pour les couvertures, les tuiles rondes aux couleurs chaudes de la terre cuite.

Si, à distance, la vision globale de Nîmes exprime une grande unité, à une échelle de lecture plus rapprochée, la perception élémentaire de l'espace piétonnier laisse trop souvent apparaître les nombreuses déviations ou détériorations apportées par les ajouts intempestifs de matériaux trop pigmentés ou d'éléments parfois incohérents.

576/577 Rues de Nîmes : avant ravalement (photo de gauche) ; après ravalement (photo de droite). Construites en moellons grossiers de calcaire dur, la plupart des façades de Nîmes sont revêtues d'un enduit à base de chaux grasse et de sable du pays. La campagne de ravalement a permis de supprimer certains enduits dont la couleur grise et froide provenait de l'emploi, à partir du XIXe siècle, de ciment ou de chaux grise.

Sur la photo de droite, dans cette rue de l'îlot Littré restauré sous la direction de l'architecte Ariel Balmassière, on peut voir une application de la nouvelle palette de coloration où dominent les enduits sable clair et ocré. Les fenêtres contrastent délicatement avec leurs encadrements de pierre blanche.

578 Les cours d'hôtels ou d'immeubles, telle la cour de l'hôtel de Régis, rue du Chapitre, présentent souvent des exemples d'animation de sols dont la créativité et le raffinement font le charme des promenades dans les quartiers anciens. Le traitement des sols est une donnée importante de la qualité de l'environnement. Ici, des carrés constitués d'un assemblage de galets aux formes arrondies, sont encadrés de pavés en pierre calcaire dure dite de Roquemaillère.

579 Rue Dorée, cette porte d'hôtel d'inspiration Renaissance, surmontée d'un fronton triangulaire brisé reposant sur deux pilastres ornés de chapiteaux ioniques qui rappellent l'influence de la culture romaine dans l'architecture nîmoise, compte parmi les nombreux exemples de portes remarquables rencontrées dans les villes provençales, telles que Aix, Arles ou Avignon...
Ici, le bois est laissé apparent mais, le plus souvent, il est couvert de peinture aux tonalités variées contrastant en valeur avec la palette générale.

580

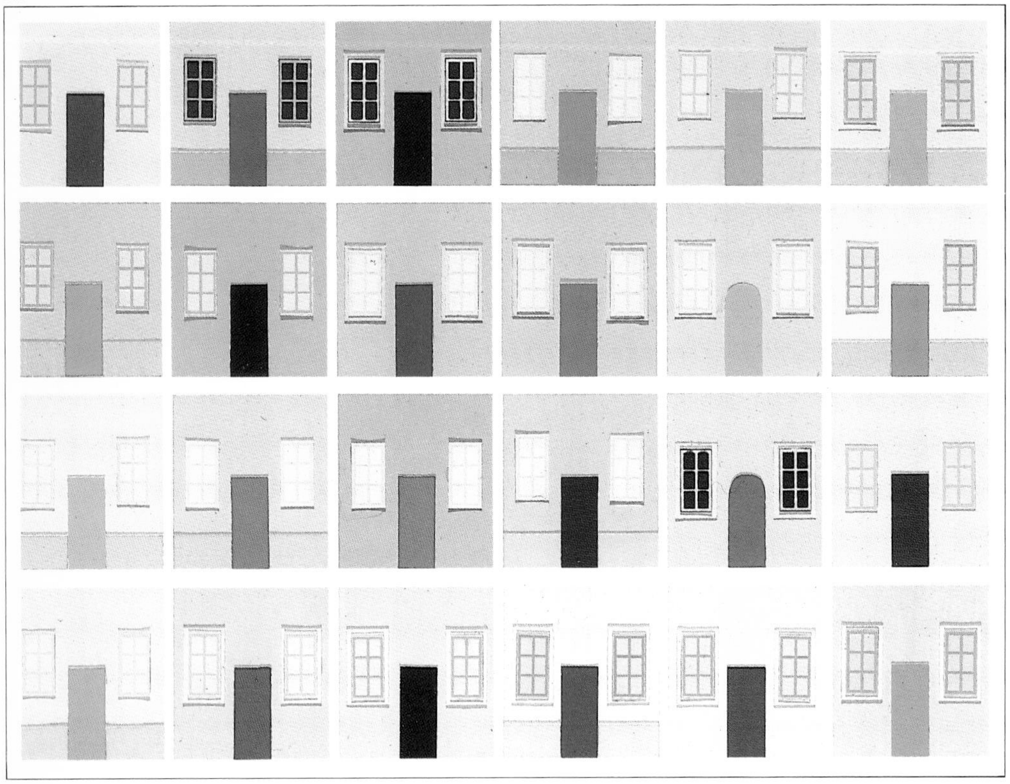

581

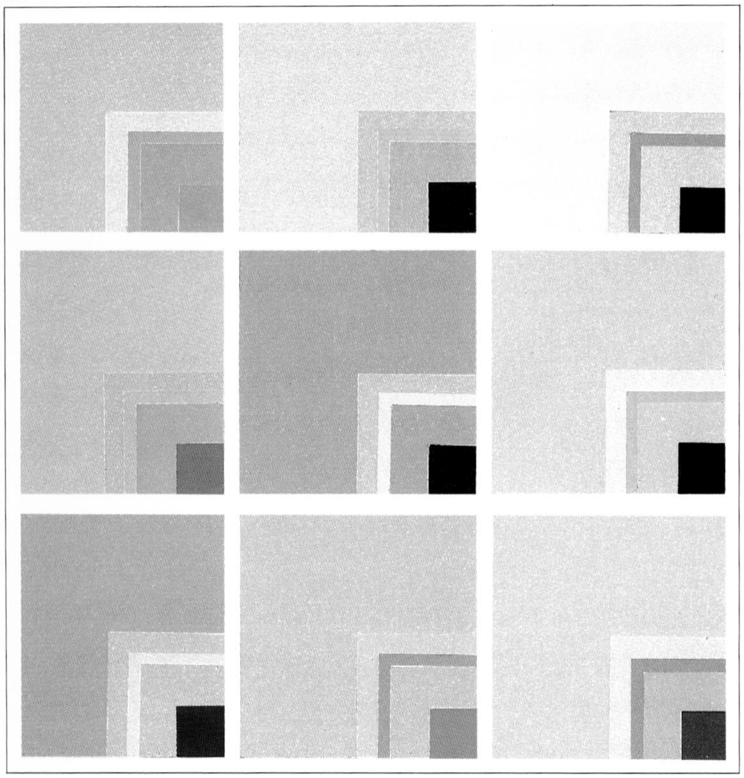

C'est pour "redonner au cœur de la ville toute sa vigueur et sa noblesse, toute sa vitalité et son charme, bref, lui restituer son âme", que Jean Bousquet, maire de Nîmes, a décidé le lancement d'une vaste campagne de réhabilitation, considérant à juste titre que "le choix des couleurs des façades est une opération délicate et prioritaire".
La nouvelle palette des couleurs des façades du vieux Nîmes, établie par l'Atelier 3D Couleur, avec la collaboration de l'architecte Ariel Balmassière, reprend la valeur claire et les tonalités ocrées d'origine, mais se distingue de la palette existante par des tons légèrement plus pigmentés où dominent le beige, l'ocre jaune, la terre de Sienne, le beige rosé, le gris chaud, le blanc atténué. Quelques tons plus froids, nécessaires à la qualité harmonique de l'ensemble : gris neutre, gris bleuté, gris moyen, complètent le nuancier.
En ce qui concerne la *palette ponctuelle*, les encadrements reprennent les teintes du mur en plus clair ou en plus foncé en des contrastes discrets. Quant aux rares soubassements, ils sont de valeur plus sombre que le mur, créant ainsi une transition entre le sol et la façade. Les seuls contrastes sont apportés par les portes aux couleurs foncées où dominent les verts et les brun-rouge.

580 Cette illustration traduit la nouvelle ambiance colorée du secteur sauvegardé et présente des exemples d'harmonies entre palette générale (les façades elles-mêmes) et palette ponctuelle (les portes, les fenêtres, les volets). Les couleurs des façades les plus significatives relevées au cours de l'étude qui a précédé la définition de la nouvelle palette ont permis de composer une gamme où prédominent les tons pierre, gris coloré, ocre et beige.
La palette se caractérise par des couleurs discrètes, à peine colorées. Elle s'étend également aux éléments ponctuels des façades, les huisseries, les volets, les soubassements. Les seuls contrastes viennent des portes aux couleurs foncées.

581 Ces neuf carreaux présentent des exemples de combinaisons de couleurs pour la rénovation des vieux quartiers de Nîmes. Ils expriment les rapports qualitatifs et quantitatifs entre palette générale et palette ponctuelle. Ici, la couleur des toitures ne figure pas. Les tonalités des murs, encadrements et soubassements, sont les plus claires. Les tonalités de la palette ponctuelle, réservées aux portes et volets, sont les plus colorées et les plus foncées ; elles représentent quantitativement les surfaces les plus réduites des éléments d'une façade.
Chaque couleur a sa propre intensité. Plus son pigment est pur, plus la teinte est vive. Deux couleurs voisines entretiennent un rapport qualitatif par leur différence de saturation : l'une est d'une qualité plus saturée que l'autre, ou les deux teintes sont de qualité de saturation semblable. Le rapport qualitatif joue un rôle important dans l'harmonie colorée. Le rapport quantitatif des couleurs concerne la surface ou la dimension visuelle d'une couleur par rapport à une autre.

Saint-Germain-en-Laye

A l'occasion d'une campagne de ravalement commencée en 1981, la ville de Saint-Germain-en-Laye a entrepris, à l'instigation de Jean-Pierre Jouve, architecte en chef des Monuments historiques, une étude destinée à permettre aux habitants de mieux connaître et respecter les couleurs de leur habitat. Cette étude a été réalisée dans le secteur sauvegardé, à partir des constructions anciennes dont les matières et les couleurs sont le résultat d'une longue tradition qui mêle étroitement l'architecture aux composantes du paysage urbain.

582

583

582 A l'angle de la rue d'Alsace et de la rue de Tourville, cette maison bourgeoise exprime tout son classicisme dans des couleurs peu contrastées. Le ton légèrement ocré de la façade est rehaussé par le blanc des encadrements et des chaînes d'angle. Les volets gris neutre, d'une valeur voisine, apportent une note raffinée à la sobriété de cette palette. Il est important de noter dans cet ensemble la valeur sombre, proche du noir, des arbres qui se détachent comme des ombres chinoises.

583 Dans la rue de Noailles, sont alignées des maisons qui datent de la fin du règne de Louis-Philippe, époque à laquelle les 40 hectares du parc de Noailles furent lotis. Cette architecture Restauration est un bon exemple, tant dans le choix des matériaux que dans celui des couleurs, de la rénovation qui s'est engagée à Saint-Germain-en-Laye depuis 1981. L'immeuble en pierre de taille à balconnets, dont on aperçoit à droite les premières fenêtres, est du XVIIIe siècle et occupe une aile de l'hôtel de Noailles.

584

585

586

587

584/585 Ces deux photos de détails d'architecture illustrent la phase d'investigation de la méthode d'analyse employée lors d'une étude de site. Les matériaux composant les façades sont répertoriés avec des notations concernant l'aspect qualitatif et quantitatif de leurs couleurs. Les enduits successifs se décollent sous l'action des intempéries et laissent apparaître les différentes couches de couleurs qui se sont échelonnées au cours des siècles.

586 La patine et l'usure du temps font apparaître la superposition des couches de peinture et d'enduit qui ont été successivement appliquées sur ce mur. La bande de couleur jaune-vert qui apparaît en bas de l'image est une feuille de nuancier, à partir de laquelle on pourra étalonner l'une des couches de ce revêtement.

587 Lorsque des pellicules d'enduit ou de peinture se décollent sous l'effet du vieillissement, elles sont soigneusement prélevées et répertoriées. Ces échantillons sont les témoins authentiques des couleurs et des matières des matériaux. Ils sont ensuite transposés à la gouache et constituent un inventaire aussi fidèle que possible de la palette des façades d'une architecture ou d'un espace urbain.

L'histoire de Saint-Germain-en-Laye s'est longtemps confondue avec celle de son château. Dès le XIIe siècle, son site, sa beauté pittoresque avec ses coteaux qui dominent la Seine, sa proximité de Paris attirèrent les rois de France qui y firent construire un château fortifié, détruit lors de la guerre de Cent Ans, reconstruit par Charles V, puis transformé par François Ier. Le village de Saint-Germain devint alors une véritable ville avec ses foires et ses marchés. Au XVIIe siècle, Louis XIV et sa cour séjournèrent en ce lieu, jusqu'en 1682. C'est à cette époque et au XVIIIe siècle que furent construits les hôtels de Noailles, de Maintenon, de Lorraine, de Vendôme... En effet, presque tous les gens de Cour possédaient, outre un logis au château, une maison particulière en ville.
Ainsi s'est développée peu à peu autour du château une agglomération enserrée dans des murailles, aux rues plus ou moins sinueuses de type médiéval, bordées de maisons étroites. Sous Napoléon III furent édifiées la plupart des grandes maisons bourgeoises.
La façade des hôtels particuliers est en bordure de rue. Elle est percée d'une porte cochère donnant accès à une cour où se trouvent les communs et les écuries. Quant aux petites maisons anciennes du centre-ville dont les propriétaires étaient souvent des commerçants ou des artisans, elles s'élèvent, étroites et hautes, sur des parcelles de terrains exiguës.
Les toitures de Saint-Germain-en-Laye présentent une grande variété de matériaux : ardoises, zinc, tuiles plates, tuiles mécaniques... Elles se déclinent du rouge au brun, en passant par les gris plus ou moins foncés, mais la campagne de ravalement tend à simplifier cette palette par l'utilisation d'ardoises et de tuiles plates.
Pour les murs, les matériaux employés sont la pierre, la brique, parfois associées pour former une maçonnerie composite. Les enduits qui recouvrent un grand nombre de façades ont un aspect lisse et des tons sable.

588

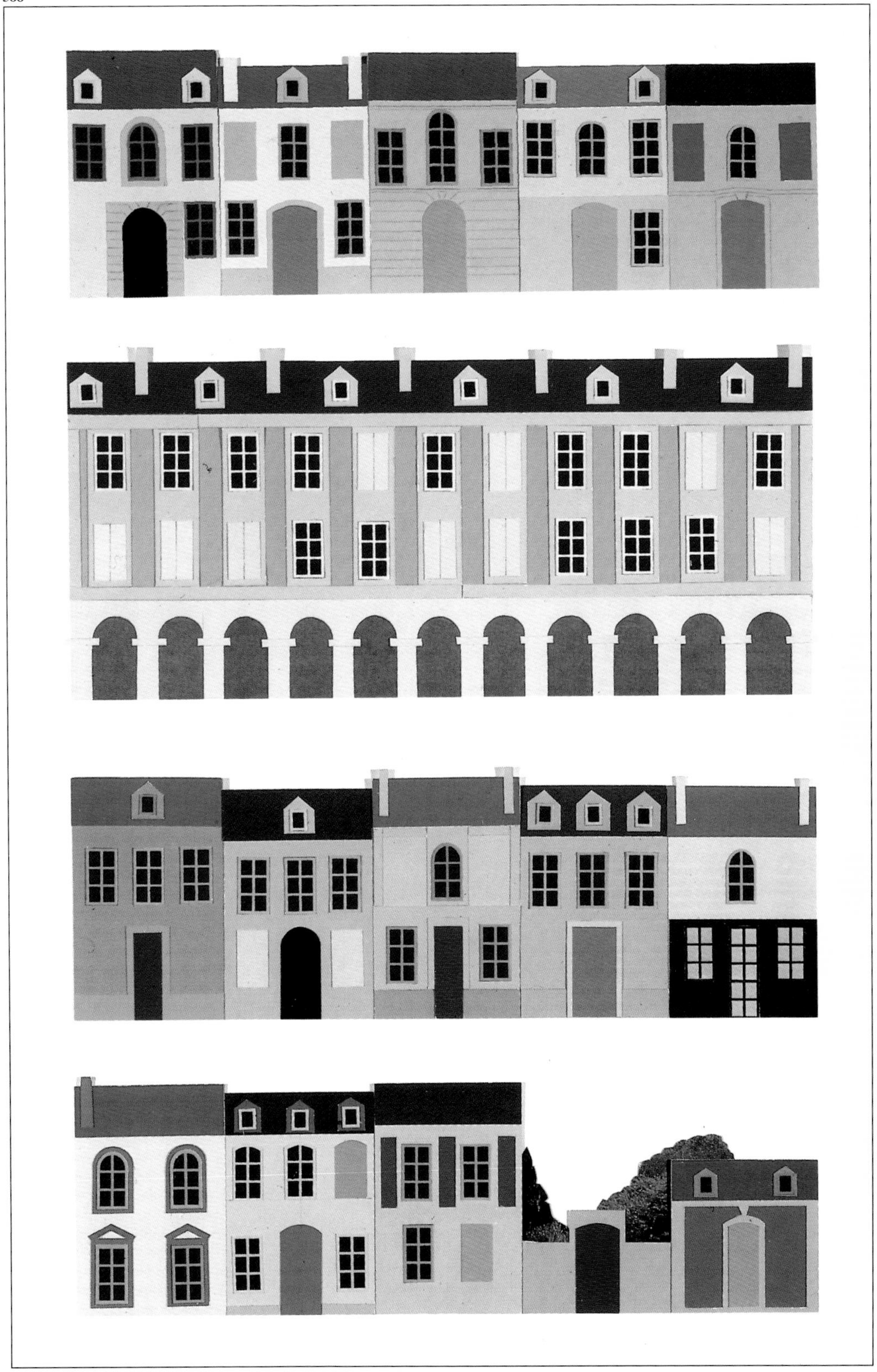

588 Cette illustration réalisée à l'aide de papiers collés représente quatre fragments de séquences types de l'architecture et des couleurs rencontrrées dans le secteur sauvegardé de Saint-Germain-en-Laye. En haut, figurent des représentations simplifiées d'hôtels du XVIIe siècle situés aux abords du château. En dessous, on peut voir une partie des façades de la place du Marché-Neuf, puis des habitations plus colorées caractéristiques des rues plus étroites, et enfin des façades à la maçonnerie composite telles que l'on peut en voir rue de Noailles.

589

590

591

592

593

Parmi les éléments de la palette ponctuelle, les plus remarquables sont constitués par les portes et les balconnets. Le balconnet est un garde-corps en faible saillie devant une fenêtre. Il est généralement de style Louis XV, même s'il a été fabriqué plus tard. Peint en noir ou en gris, il se découpe avec élégance sur la façade. Quant aux portes, sur les maisons modestes, elles sont petites et surmontées d'une imposte. Les grandes maisons possèdent souvent une porte cochère dont les vantaux sont rectangulaires ou cintrés. Les motifs décoratifs propres au XVIIIe siècle sont des guirlandes, des fleurs, des feuilles de laurier et des moulures. Ceux qui datent du Directoire et du Premier Empire présentent des dessins en éventail, des serpents ou des têtes de lions.

589/590 La place du Marché-Neuf, construite à la fin du XVIIIe siècle, photographiée en 1981 (photo de gauche) et en 1989 après le ravalement (photo de droite).

La pierre de taille a été nettoyée et les enduits refaits. La sobriété des couleurs de cette belle architecture rigoureusement ordonnancée met en valeur son unité. On ne peut passer sous silence l'importance que prennent dans la qualité d'un paysage urbain la signalétique et les enseignes de magasins. On remarque ici l'unité et la sobriété de la typographie qui ne nuisent en rien à l'efficacité commerciale des enseignes.

591/592 Ces immeubles, situés rue du Vieil-Abreuvoir, ont été photographiés avant et après le ravalement. Sur la photo de gauche, les enduits se déclinent dans une gamme de gris froids et neutres. Après rénovation, les façades expriment la coloration chaude des tonalités proches de la pierre et, malgré la discrétion de cette palette, illuminent l'espace urbain.

593 La rue des Louviers est une des vieilles rues étroites de la cité, avec des maisons dont certaines sont ornées par des appuis de fenêtre en fer forgé, comme dans tout le quartier ancien. Cette petite rue piétonnière présente une application de la palette des couleurs proposées pour la restauration des façades que l'on trouvera page ci-contre sur le dépliant publié à l'intention des habitants.

594

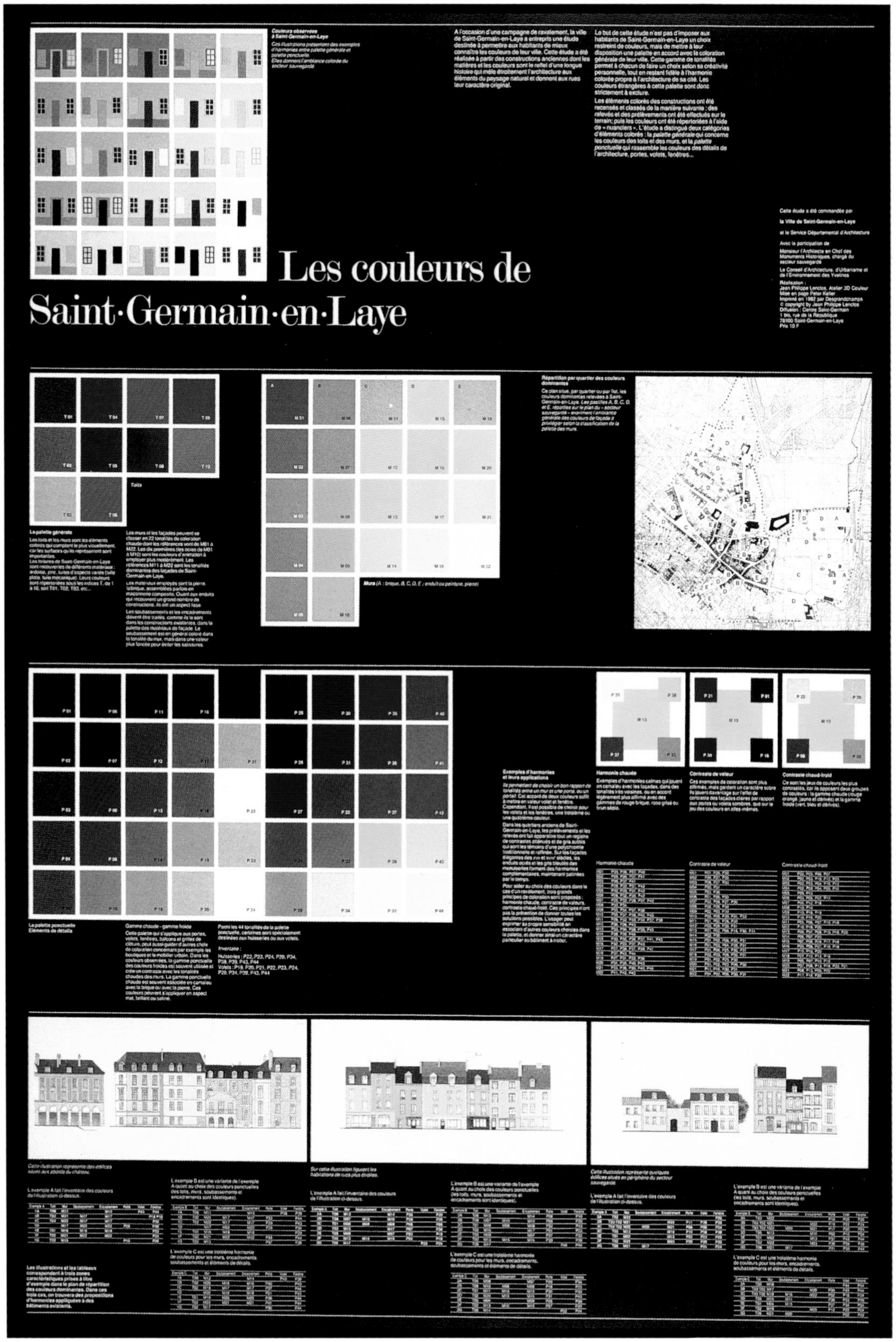

594 Dès que fut achevée la proposition d'une palette de couleurs pour la rénovation des façades du secteur sauvegardé de Saint-Germain-en-Laye, ce dépliant fut publié par les soins de la mairie et mis à la disposition des habitants. Il est destiné à informer et sensibiliser tous ceux qui sont concernés par le ravalement de leur immeuble, et il suggère un certain nombre de possibilités parmi lesquelles l'habitant peut exercer son choix.

Ce document donne également de nombreux exemples de combinaisons de couleurs entre la palette générale et la palette ponctuelle, et propose, à titre indicatif, des harmonies adaptées aux principaux types d'architecture.

Petit lexique

Agrégat Terme qui sert à désigner officiellement les divers matériaux (gravier, pierraille, sable...) destinés à la confection des mortiers et bétons.

Ancelle Voir Bardeau.

Appareil Maçonnerie formée d'éléments posés et non jetés. Chaque élément est taillé pour occuper une place déterminée.
L'« appareil mixte » est un appareil formé de matériaux de nature différente : appareil de brique à chaîne de pierre, appareil mixte en damier...

Bardeau Courte planchette de bois en forme de tuile plate ou d'ardoise, posée à recouvrement. Parmi les bardeaux (ou essentes), on distingue les ancelles et les tavaillons.
Les ancelles sont des planchettes de sapin de 70 centimètres de long, qui sont principalement utilisées en moyenne montagne sur les toits à faible pente. Les tavaillons, plus courts et plus minces, recouvrent les toits à pente plus accentuée des chalets de haute montagne.

Bois de brin Pièce de bois dont on a seulement ôté les quatre dosses pour l'équarrir (la dosse est la première planche sciée dans un tronc d'arbre, dont la face non équarrie est recouverte d'écorce).

Boulin Pièce de bois fixée dans la maçonnerie pour échafauder. La dépose des boulins laisse dans la maçonnerie des trous dits « trous de boulins ».

Bourrine Construction en torchis du pays vendéen.

Boutisse Les pierres et les briques posées en boutisse sont placées dans le sens de l'épaisseur du mur.

Brisis Dans un toit à la Mansart, on distingue le brisis, qui est le rampant le plus incliné, et le terrasson, qui est la partie plus plate lui faisant suite.

Brun Van Dyck Appellation qui concerne généralement un rouge d'oxyde de fer résultant de la calcination d'un composé ferrifère.

Camaïeu Tonalité déclinée dans une gamme de tons différents.

Chaîne Membre horizontal ou vertical de la maçonnerie, formé de plusieurs assises ou d'une superposition d'éléments, construit avec un matériau différent ou avec des éléments plus gros que le reste de la maçonnerie sur le parement de laquelle il apparaît.

Chaux (lait de) Traditionnellement employé sur les enduits extérieurs dans certaines régions de France, le lait de chaux, n'étant pas lessivable, était périodiquement renouvelé.

Chromatique Relatif aux couleurs.

Clivage Surface suivant laquelle une roche se fend.

Colombage Pan de bois dont les vides ont été remplis en maçonnerie.

Corniche Élément décoratif couronnant un mur, la corniche est formée de moulures en surplomb les unes sur les autres.

Coyau Petite pièce oblique adoucissant la pente d'un versant de toit dans sa partie basse.

Crépi Voir Enduit.

Décharge Pièce secondaire ayant pour fonction de décharger la partie supérieure d'un mur sur la partie inférieure. Dans certaines régions, on trouve un petit *arc de décharge* au-dessus d'un linteau en bois ou en pierre afin d'éviter le fléchissement de celui-ci.

Déclinaison Gamme de couleurs de tonalités ou de valeurs différentes.

Encorbellement Surplomb d'une construction, soutenu par une suite de supports (corbeaux, consoles, bouts de solive...).

Enduit Revêtement en plâtre, en mortier, en ciment ou en peinture consistante, que l'on étend en couches minces. Le *crépi* est une couche qui prend directement sur la construction ou sur un gobetage (sous-couche destinée à boucher les joints et les trous) ; le crépi moucheté a une apparence granuleuse ; le crépi taloché est marqué d'empreintes en arc de cercle produites par les gestes du maçon. Le crépi peut rester apparent ou être couvert par une dernière couche qui est l'enduit proprement dit.

Essentage Revêtement d'une paroi verticale en matériaux de couverture (bardeaux ou ardoises).

Faîtage Pièce maîtresse de charpente posée sous l'arête supérieure d'un toit.

Gélive (pierre) En géologie, on dit d'une pierre qu'elle est gélive lorsqu'elle est susceptible de se fendre sous l'action du gel.

Génoise Élément intermédiaire entre le mur et la couverture. Elle est formée de plusieurs rangs de tuiles canal renversées et remplies de mortier.

Gouttereau (mur) Mur qui reçoit la partie basse de la couverture et supporte la gouttière.

Habitat Mode d'organisation et de peuplement par l'homme de l'espace bâti où il vit : habitat rural, habitat urbain.

Herminette Hachette à tranchant recourbé. Le dressage à l'herminette est l'opération qui consiste à donner au matériau une forme plane, à l'aide de cet outil.

Homochromie Propriété qu'ont certains animaux (reptiles, poissons, insectes) de prendre la coloration des objets qui les entourent.

Hourdis Remplissage du pan de bois réalisé le plus souvent en brique ou en torchis...

Joint Espace entre deux éléments, généralement rempli de mortier ou de plâtre. *Jointoyer* consiste à remplir les joints de mortier.

Lauze Plaque de schiste grossier, employée pour la couverture des maisons dans certaines régions (Alpes, Limousin...).

Liant Voir Mortier.

Linteau Bloc de pierre, pièce de bois ou de métal, le plus souvent formé d'un seul morceau, le linteau supporte la charge de la maçonnerie incluse dans un triangle rectangle dont il forme la base. Le reste de la charge est réparti sur les pieds-droits.

Modénature Au sens strict, ensemble des profils ou des moulures d'un édifice. Par extension, ce terme désigne les lignes principales qui déterminent le caractère de l'édifice.

Moellon Pierre de petite dimension non taillée ou partiellement taillée.

Mortier Matériau durcissant en séchant, utilisé comme *liant* entre les pierres, les briques, ou en enduit. Il est habituellement composé de chaux et de sable. Le *mortier de chaux* est coloré par le sable du pays (sable de rivière ou de carrière). Le *mortier de terre* est fait de terres argileuses mélangées de sable.

Pan (de bois) Ensemble des pièces de charpente assemblées dans un même plan.

Parement Surface visible d'une construction en pierre, en terre ou en brique.

Parpaing Élément traversant toute l'épaisseur de la maçonnerie.

Pignon Généralement triangulaire, le pignon porte les versants du toit.

Pisé Matériau composé de terre comprimée.

Ponctuel Adjectif qualifiant les éléments de détail d'une construction : chaînes, bandeaux, corniches, portes, volets...

Revêtement Élément de protection, de consolidation ou de décoration de la construction.

Rive Bord latéral d'un rampant de toit.

Solin Raccord de mortier ou de ciment autour des souches de cheminées.

Souche de cheminée Ouvrage de maçonnerie renfermant un ou plusieurs conduits de fumée et s'élevant au-dessus du toit.

Structure Forme observable et analysable que présentent les éléments d'une construction.

Tavaillon Voir Bardeau.

Terrasson Voir Brisis.

Texture Effet de matière.

Toner Mot américain qui désigne un colorant organique précipité sous forme de sel métallique et, par extension, un pigment pur qui n'est pas fixé sur une particule minérale.

Torchis Matériau formé de terre grasse et de paille hachée, employé comme remplissage, notamment dans les pans de bois.

Tuffeau Craie micacée ou sableuse qui s'est déposée près des massifs cristallins. C'est une belle pierre qu'on utilise dans la construction, surtout dans la région de la Loire où elle abonde ; elle présente néanmoins l'inconvénient d'être friable et gélive.

Tuileau Fragment de tuile concassée.

Valeur Clarté d'une couleur dans l'échelle des gris.

Publications relatives aux travaux de Jean Philippe Lenclos

1968	*Domus* n° 459 (Italie)	« Colori a Parigi »
	L'Œil n° 159 (France)	« Auditorium »
	Elle n° 1178 (France)	« Pour tromper les murs »
1969	*Domus* n° 471 (Italie)	« Grafica per una industria »
	Connaissance des arts n° 209 (France)	« L'art et la musique »
	La Maison de Marie-Claire n° 29 (France)	« La maison à vos couleurs » (M. Hucliez)
	Créé n° 01 (France)	« La couleur et ses déclinaisons »
	L'Express n° 936 (France)	« Les coloristes soignent la couleur » (A. Morgaine)
1970	*Mainichi-Shinbun* Japon	« Environnement et couleur »
	Color Communication n° 12 (Japon)	« The world of J. Ph. Lenclos »
	Créé n° 6 (France)	« Usines en couleurs »
	Housing and Urban Development (Japon)	
	Domus n° 492 (Italie)	« La couleur est un signal »
	Graphic Design n° 40 (Japon)	« Works by J. Ph. Lenclos »
	Ornamo (Finlande)	« Värikongressi »
	La Maison de Marie-Claire n° 38 (France)	« Apprenez la couleur avec les peintres » (M. Hucliez)
1971	*Réalités* n° 300 (France)	« L'explosion de la couleur crue » (J. Clay)
	Approach (Japon)	« Volume - Light - Colour » (J. Ph. Lenclos)
	Structures décoratives n° 1 (France)	« Le rôle de la couleur »
	The Kindaï Kenchitu n° 25 (Japon)	« Super Graphic » (R. Shigeta)
	La Maison de Marie-Claire n° 56 (France)	« Vivre en couleur »
	Créé n° 10 (France)	« Volume-couleur » (G. de Bure)
1972	*Color Planning Center* n° 32 (Japon)	« Lenclos the Colorist »
	Créé n° 14 (France)	« Aga France » (C. des Plas)
	L'Architecture d'aujourd'hui n° 164 (France)	« Couleurs et paysages » (J. Ph. Lenclos)
	Color Communication CPC n° 29 (Japon)	« Color Scheme of Interior Decoration » (M. Unagami)
	Japan Interior Design n° 156 (Japon)	« How French Designs Have Changed »
	Asashi-Shinbun (Japon)	« La couleur de Tokyo vue par un Parisien »
	Yomiuri-Shinbun (Japon)	« A Tokyo, plus de couleur »
	Nippon keizai-Shinbun (Japon)	« La couleur de Kokyo est gris-rose »
1973	*La Maison de Marie-Claire* n° 74 (France)	« Les matériaux naturels de la couleur »
	Créé n° 20 (France)	« Histoire et évolution du design » (J. de Noblet)
	L'Architecture d'aujourd'hui n° 166 (France)	« Aujourd'hui l'école »
	Elle n° 1424 (France)	« L'avenir des meubles : faire partie des murs » (J. Chaumont)
	Elle n° 1427 (France)	« La couleur au tableau d'honneur - L'espace couleur »
	Domus n° 522 (France)	« Supergraphisme »
	Varisilmä n° 3 (Finlande)	« Elämä on väriä »
	Structures décoratives n° 10 (France)	« Initiation à la couleur »
	Abitare n° 117 (Italie)	« Viaggare Meglio »
	Créé n° 23 (France)	« Aspen 1973 » (G. de Bure)
	Architecture plus n° 9 (États-Unis)	« The Powerful Hum of Color » (G. de Bure)
1974	*La Maison de Marie-Claire* n° 85 (France)	« Choisissez vos couleurs »
	Maison française n° 276 à 287 (France)	« Les couleurs de la France » (S. Gorce)
	Design n° 305 (Grande-Bretagne)	« Wall Painting »
	Domicible n° 3 (France)	« La couleur est déjà au pouvoir » (M. Fell)
	Design, éditions Stock-Chêne (France)	« Introduction à l'histoire du design » (J. de Noblet)
	Domus n° 537 (Italie)	« Policromia - Les Maradas »
	Perspectives n° 1 (France)	« La couleur dans l'architecture »
	Graphic Design of the World n° 7, édit. Kodansha (Japon)	« Graphics in Environment »
	Form n° 10 (Suède)	« Grafisk formgivning »
1975	*Mäleri* n° 2 (Suède)	« Livet är enlek med färger »
	Le Journal de la maison n° 85 (France)	« Jean Philippe Lenclos » (C. Ardouin)
	Decorativoïe Iskoustva n° 209 (Union soviétique)	« La palette des villes françaises » (L. Jadova)
	Color Planning Center n° 62 (Japon)	« La couleur du Vaudreuil »
	Architecture intérieure n° 147 (France)	« Centres commerciaux »
	Elle n° 1558 (France)	« Nos trente ans »
1976	*Neuf* n° 59 (Belgique)	« Le bonheur polychrome » (G. Durand)
	Colour for Architecture, édit. Studio Vista (Grande-Bretagne)	« Living in Colour » (Porter and Mikellides)
	Neuf n° 63 (Belgique)	« Couleurs et architecture » (G. Durand)
	Maison française n° 301 (France)	« Les natures mortes de J. Ph. Lenclos »
	Métropolis n° 23 (France)	« Peut-on rénover les grands ensembles ? » (P. Lucain)
	Créé n° 42 (France)	« L'amélioration du patrimoine récent » (G. Negreanu)
1977	*Domus* n° 568 (Italie)	« Solmer - La Ciotat »
	Éducation et culture n° 32 (France)	« L'État, les artistes et le cadre de vie » (R. Moulin)
	Architecture intérieure - Créé n° 159 (France)	« Boissénart »
	Color Planning Center n° 76 (Japon)	« Color Environment in Europe » (S. Yoshida)
	AIA, American Institute of Architecture n° 67 (États-Unis)	« Color in Architecture »
	Les Nouvelles littéraires n° 2589 (France)	« Couleurs du paysage » (J.-F. Dhuys)
	Nuevo y stylo n° 5 (Espagne)	« Natura alesas muertas »
	Le Point n° 263 (France)	« Celui par qui la couleur arrive » (C. Bergeron)
	Marie-France n° 261 (France)	« A chaque région sa couleur » (S. Chadenet)
	Japan Interior Design n° 223 (Japon)	« Color Scheme in Architecture » (R. Shigeta, M. Unagami)
	La Maison de Marie-Claire n° 130 (France)	« Autour de l'art et de la couleur »
	TPE n° 44 (France)	« Les couleurs de la ville »
	Prado Architecture n° 13 (France)	« La couleur du Frioul »
	Monuments historiques n° 5 (France)	« La géographie de la couleur » (J. Ph. Lenclos)
1978	*100 idées* n° 51 (France)	« Nature morte : paysage vivant » (J.-J. Mandelle)
	Odia (Portugal)	« Geografia da cor »
	Woon signatur (Pays-Bas)	« Arts décoratifs »
	Architecture intérieure - Créé n° 165 (France)	« Les quatre temps » (O. Boissière)
1979	*Car Styling* n° 25 (Japon)	« Le style automobile à la régie Renault »
	Architecture intérieure - Créé n° 171 (France)	« La méthode du rythme et des tonalités » (P. Goulet)
	Makasini n° 7 (Finlande)	« Sopusointu on tu levaisuuden Avainsana » (Marja Paasonen)
	100 idées n° 71 (France)	« Derrière la porte des écoles d'art » (M. Bailhache)
	Estado de Minas n° 11-79 (Brésil)	« Artes visuais » (Celma Alvim)
1980	*Domus* n° 602 (Italie)	« Colore e Torino »
	Graphic Design for our Environment, édit. Shotenkenchikusha Co Ltd (Japon)	« Rythmes de façades à Château-Double » (Takenobu Igarashi)
	L'Usine nouvelle (France)	« La couleur à l'usine »
	Japan Interior Design n° 261 (Japon)	« The Designers of the World are now »
	Epoca n° 1574 (italie)	« Il colore che va » (A. Militello)
1981	*Farbe im Stadtbild*, édit. Archibook, Berlin (Allemagne)	« L'aciérie Solmer » ; « La ville nouvelle du Vaudreuil » (M. Duttmann)
	Les Couleurs dans l'architecture du Limousin, pub. Typographica	Direction régionale de l'Équipement du Limousin (J. Ph. Lenclos)
1982	*Colour Outside*, édit. Architectural Press, Londres (Grande-Bretagne)	(Tom Porter)
	Les Nouvelles littéraires n° 2856 (France)	« Des murs et des couleurs » (J.-F. Dhuys)
	Light Color and Environment, édit. Van Nostrand Reinhold (États-Unis)	« The Use of Color on Exteriors » (Faber Birren)
	La Ristrutturazione edilizia, édit. Hoepli (Italie)	« Il colore nella riabilitazione » (A. Baglioni, G. Guarnerio)

1983	*Monuments historiques* n° 129 (France)	« Des matériaux traditionnels de construction » (H. Bonnemazou)
1984	*Le Livre du mur peint*, édit. Alternatives (France)	« Le mur art de la rue » (Dominique Durand)
1985	*Le Point* n° 2405 (France) *Color Model Environments*, édit. Van Nostrand Reinhold (États-Unis)	« Couleurs : la palette des sens » (Roselyne Bosch) « The Work of Jean Philippe Lenclos » (Harold Linton)
1986	*Automobiles classiques* n° 15 (France) *La France sensible*, édit. Champ Vallon (France)	« Couleurs et matières du futur » (Serge Bellu) « La France et ses couleurs » (Pierre Sansot)
1987	*L'Express* n° 1488 (France) *Paris Passion* n° 52 (France) *Diagonal* n° 66 (France) *Le Monde « Affaires »* n° 13340	« Les villes sont des palettes » (Odile Perrard) « The Heavy 100 » (Marion Tompkins) « La couleur comme des racines » (Florence Marot) « Les marchands de couleurs » (Christian Tortel)
1988	*Maison française* n° 414 (France) *Tools* n° IV/3 (Danemark) *Encyclopedia of Architecture*, édit. John Wiley (États-Unis) *Car Styling* n°s 64, 65, 66, 67, 68 (Japon) *Le Rêve automobile*, édit. E.P.A. (France)	« Le monde en technicolor » (Inès Heugel) « United Colours of Lenclos » « Color in architecture » (Tom Porter) « The Geography of Color » (Akira Fujimoto) « Atelier 3 D Couleur » (Serge Bellu, Peter Vann)
1989	*Today* (Chine) *The Color Compendium*, édit. Van Nostrand Reinhold (États-Unis) *Intramuros* n° 25 (France) *Journal of Zhejiang Academy of Fine Arts* (Chine) *Signs and Structures*, édit. Akzo Coatings (Pays-Bas) *Le Point* n° 888 (France)	« Un Français maître de la couleur » (Song Jian Ming) (Augustine Hope, Margaret Walch) « Jean Philippe Lenclos » (Claudine Farrugia) « J. Ph. Lenclos, Method for Teaching the Colours » (Song Jian Ming) « The Geography of Colour » (Jean Philippe Lenclos) « Un homme de couleurs » (Guillemette de Sairigné)

Photographies	Patrice Blot	577.
	Jean-Loup Charmet	102, 104, 105, 106, 107, 108, 109, 110, 190, 217, 218, 229, 230, 411, 437, 438, 439, 440, 441, 442, 443, 444, 445, 446, 447, 448, 472, 473, 474, 475, 476, 477, 478, 497, 498, 572, 573.
	Françoise Desvignes	101, 410, 415, 417, 419, 427, 586, 591, 592.
	Martine Duris	71, 425.
	Marie Fournier	76 B.
	Jean-Marie Hertig	63.
	Vonnik Hertig	587.
	Georges Keller	9, 10, 18, 67.
	Jean Philippe Lenclos	3, 5, 12, 13, 14, 15, 16, 17, 19, 24, 26, 29, 33, 34, 36, 37, 38, 39, 42, 43, 44, 45, 49, 50, 52, 58, 59, 60, 61, 62, 65, 66, 68, 69, 70, 72, 81, 82, 83, 84, 85, 86, 89, 90, 91, 92, 93, 94, 95, 96, 97, 98, 99, 116, 117, 118, 119, 120, 126, 129, 130, 131, 136, 137, 170, 172, 173, 178, 179, 180, 183, 231, 232, 233, 234, 235, 236, 237, 238, 239, 240, 241, 242, 243, 244, 245, 246, 247, 251, 254, 259, 263, 264, 267, 269, 271, 272, 273, 274, 296, 308, 309, 310, 311, 312, 313, 314, 315, 316, 317, 318, 319, 320, 321, 322, 323, 324, 329, 330, 333, 336, 337, 342, 343, 344, 345, 346, 361, 362, 367, 368, 369, 371, 374, 375, 390, 391, 392, 393, 394, 395, 396, 397, 398, 399, 400, 401, 402, 403, 404, 405, 406, 412, 413, 414, 416, 418, 420, 421, 422, 423, 424, 426, 449, 453, 454, 461, 468, 469, 470, 471, 486, 488, 489, 490, 492, 493, 494, 495, 496, 502, 503, 505, 507, 509, 511, 513, 514, 515, 516, 517, 523, 525, 526, 529, 530, 532, 535, 538, 539, 540, 542, 556, 559, 561, 562, 564, 567, 574, 575, 576, 578, 579, 582, 583, 584, 585, 590, 593.
	Jean Lerouet	589.
	Werner Lüthy	64.
	Katia Mage	202, 208, 209, 211, 212, 213.
	Rudi Meyer	2, 100, 153, 154, 155, 156, 157, 158, 159, 160, 161, 162, 163, 164, 165, 191, 281, 282, 283, 284, 303 A, 303 B, 351, 352, 353, 354, 379, 380, 381, 382, 383, 384, 385, 386, 387, 388, 389, 499, 500, 546, 547, 548, 549.
	François Puyplat	4, 6, 7, 8, 11, 20, 21, 22, 23, 25, 27, 28, 30, 31, 32, 35, 40, 41, 46, 47, 48, 51, 53, 54, 55, 56, 57, 73, 74, 75, 76, 79, 80, 87, 88, 112, 113, 114, 115, 121, 122, 123, 124, 125, 127, 128, 132, 133, 134, 135, 138, 139, 140, 141, 142, 143, 166, 167, 168, 169, 174, 175, 176, 177, 181, 182, 184, 185, 186, 192, 193, 194, 195, 196, 197, 198, 199, 200, 201, 203, 204, 205, 206, 207, 210, 219, 220, 221, 222, 223, 224, 225, 226, 227, 228, 250, 252, 253, 255, 256, 257, 258, 260, 261, 262, 265, 266, 268, 270, 285, 286, 287, 288, 289, 290, 291, 292, 293, 294, 295, 297, 298, 299, 300, 301, 302, 331, 332, 334, 335, 338, 339, 340, 341, 355, 356, 357, 358, 359, 360, 363, 364, 365, 366, 370, 372, 373, 450, 451, 452, 455, 456, 457, 458, 459, 460, 462, 463, 464, 466, 467, 480, 481, 482, 483, 484, 485, 487, 491, 501, 504, 506, 508, 510, 512, 518, 519, 520, 521, 522, 524, 527, 528, 531, 533, 534, 536, 537, 541, 543, 544, 550, 551, 552, 553, 554, 555, 557, 558, 560, 563, 565, 566, 568.
	René Robert	1, 103, 187, 188, 189, 214, 215, 216, 248, 249, 275, 276, 277, 278, 279, 280, 304, 305, 306, 307, 325, 326, 327, 328, 347, 348, 349, 350, 376, 377, 378, 407, 408, 409, 479, 545, 569, 570, 571, 580, 581, 588, 594.
	Marian Rushton	171.
Illustrations	Jean Philippe Lenclos	411, 428, 429, 430, 431, 432, 433, 434, 435, 436.
	Marie Kowalewski	144, 145, 146, 147, 148, 149, 150, 151, 152, 187, 188, 189, 214, 215, 216, 275, 276, 277, 278, 279, 280, 304, 305, 306, 307, 347, 348, 349, 350, 376, 377, 378, 472, 473, 474, 475, 476, 477, 497, 545, 569, 570, 571.
Cartographie	Rudi Meyer	72, 74, 92, 104, 114, 118, 126, 138, 148, 157, 180, 189, 201, 225, 236, 249, 260.

Maquette et mise en page : Peter Keller
Composition : PFC à Dole
Photogravure : Perenchio
et Parigraphic
Imprimé sur Silverblade
Achevé d'imprimer sur les presses
de Mame Imprimeur à Tours
Reliure : Mame

N° d'imprimeur : 33350
Dépôt légal : novembre 1994